# Die Geschichte der Maya

*Ein fesselnder Führer zur Zivilisation, Kultur und Mythologie der Maya und deren Einfluss auf die Geschichte Mesoamerikas*

# Inhaltsverzeichnis

# Einführung

In den letzten ein oder zwei Jahrzehnten hat das Interesse an der Geschichte der Maya stark zugenommen. Es gab mehr Dokumentationen und Filme über sie als je zuvor. Dieses Interesse war zum Teil durch die mythische Maya-Vorhersage des Weltuntergangs für das Jahr 2012 bedingt, welche diese Zivilisation für eine kurze Zeit ins Rampenlicht des Medieninteresses rückte. Die Kultur der Maya ist aber natürlich sehr viel facettenreicher als ein Missverständnis um die Deutung ihres Kalenders. Und schon lange bevor die Maya sich im Interesse einer breiteren Öffentlichkeit fanden, haben sich Archäologen und Historiker bemüht, die vollständige Geschichte der Zivilisation der Maya zu enthüllen und zusammenzufügen.

Wissenschaftler fragten sich, wie die Maya ihre großartigen Städte und Tempel bauten und wie sie solch atemberaubende Kunstwerke und Schmuck herstellten. Sie haben versucht zu verstehen, was die Maya zeichneten, schnitzten und auf ihre Wände und in ihre Bücher schrieben. Jeder Aspekt des Lebens der Maya interessierte sie. Als ihre Forschungen Fortschritte machten und ihr Verständnis und ihre Kenntnisse der Maya-Kultur größer wurden, wurde ihnen klar, dass dieses Volk eine der wichtigsten und einflussreichsten Zivilisationen der gesamten mesoamerikanischen Region waren. Eine einfache

Illustration dieses Punktes: Wenn Sie Ihre Augen schließen und einmal versuchen, sich das Leben in Mesoamerika vor Kolumbus' sogenannter Entdeckung Amerikas vorzustellen, würden Sie wahrscheinlich die wesentlichen Charakteristika der Maya-Zivilisation vor Ihrem geistigen Auge haben. In Ihrer Vorstellung sehen Sie womöglich Menschen, die in das Fell eines Jaguar gekleidet sind oder solche, die bunte Kopfbedeckungen aus Federn tragen. Oder Sie sehen große Stufenpyramiden, die mit seltsamen Hieroglyphen verziert sind, vielleicht auch Menschen mit bemalten Gesichtern und durchstochenen Nasen und Ohren, Menschenopfer vor Mengen von Zuschauern oder Krieger mit hölzernen Keulen, die durch den Dschungel schleichen. Wir können uns die mesoamerikanische Geschichte und Kultur ohne die Maya einfach nicht vorstellen. Und daher sollten wir so viel wie möglich über sie erfahren.

In diesem Buch versuchen wir, die Maya-Zivilisation ein wenig zu beleuchten. Von ihren Anfängen und ihrer Geschichte, über das tägliche Leben der Maya und dem unausweichlichen Thema von Religion und Mythologie. Bis hin zu dem üblicherweise vergessenen Aspekt, was mit den Maya nach der Ankunft der Spanier geschah und wo sie sich heute befinden. Ein weiteres wichtiges Anliegen dieses Buches ist es, mit der Verbesserung unserer Kenntnisse auch einige der Mythen und Missverständnisse, die Synonyme für die Maya geworden sind, zu widerlegen. Machen Sie sich also bereit die Maya und ihre Kultur neu zu entdecken.

# Kapitel 1 – Willkommen bei den Maya

Jede Geschichte über die Zivilisationen des amerikanischen Kontinents beginnt etwa 40.000 bis 20.000 Jahre vor unserer Zeitrechnung, als während des letzten Eiszeitalters eine Landbrücke Alaska mit Sibirien verband. Während dieser langen Zeit zogen nach und nach Gruppen von Menschen in das Gebiet, das später von europäischen Forschungsreisenden die „Neue Welt" genannt wurde. Obwohl es weitere Theorien darüber gibt, wie die ersten Menschen auf den amerikanischen Kontinent kamen, herrscht die Theorie der Landbrücke gegenwärtig und aufgrund zahlreicher stützender Belege vor. So fanden Archäologen Ähnlichkeiten zwischen den Werkzeugen, die in jener Zeit von Menschen in Sibirien und den ersten Siedlern am Pazifischen Ozean benutzt wurden. Linguisten machten des Weiteren eindeutige Ähnlichkeiten zwischen den sibirischen Sprachen und den Sprachen der Ureinwohner Amerikas aus. Der letzte und wahrscheinlich schlüssigste Beweis kam jedoch von den Genetikern, die die DNS beider Gruppen untersuchten und eine gemeinsame Herkunft feststellten. Sie bestätigten, dass die meisten indigenen Einwohner Amerikas ihre Wurzeln in dem Gebiet des heutigen Südost-Sibiriens hatten.

Natürlich vollzog sich diese Wanderung nicht in einer einzigen großen Welle, sondern langsam. Mit der Zeit zogen immer mehr kleine Gruppen und Stämme aus Asien über Alaska und die nördlichen Gebiete Amerikas gen Süden. Grund war die Suche nach besseren Lebensräumen, die über ein wärmeres Klima, größere Pflanzenvielfalt und bessere Jagdgründe verfügten. Über hunderte und tausende von Jahren zogen diese Gruppen von Jägern und Sammlern über den Kontinent und begannen sich anzupassen, indem sie immer spezifischere Steinwerkzeuge entwickelten. Archäologen haben solche Werkzeuge auf der Halbinsel Yucatán gefunden, der Heimat der Maya, und sie auf 10.000 bis 8.000 Jahre vor unserer Zeitrechnung datiert. Zu dieser Zeit kamen die ersten Menschen, wahrscheinlich die Vorfahren der Maya, in diese Gegend. Aber bevor wir uns der Frage zuwenden, wie diese Jäger und Sammler zu den berühmten Maya wurden, müssen wir verstehen, wo sie lebten und wie die Umgebung die Entwicklung ihrer frühen Kultur beeinflusste.

Die sogenannte Heimat der Maya umfasste die südöstlichen Teile des heutigen Mexikos einschließlich der schon erwähnten Halbinsel Yucatán und den nordwestlichen Teil Mittelamerikas auf dem Gebiet der heutigen Staaten Belize und Guatemala sowie Teile von El Salvador und Honduras. Wir sehen, dass die Maya ein relativ großes Gebiet von etwa 320.000 Quadratkilometern besiedelten, welches in drei geographische und klimatische Zonen unterteilt werden kann. Im Norden liegt das Tiefland, das praktisch die gesamte Halbinsel Yucatán umfasst, im Zentrum des Maya-Gebiets liegt das Hochland und im Süden befindet sich die pazifische Küstenebene. Die pazifische Küstenregion bestand aus dichtem Regenwald, der über den größten Anteil an jährlichem Niederschlag des gesamten Siedlungsgebiets der Maya verfügte. In dieser Region, entlang der Lagunen an der Küste, wurden einige der frühesten Maya-Siedlungen gefunden. Mit einer reichlichen Vegetation sowie einer Fülle an Meeres- und Frischwassertieren, war diese Region der perfekte Ort für eine Besiedlung. Die fruchtbaren Böden entlang der Flüsse machten die Region darüber hinaus zu einer bedeutsamen Gegend für die später auftretenden ackerbautreibenden Gesellschaften. Später - nachdem sich komplexere Gesellschaften herausgebildet hatten - wurde die Küstenregion mit dem weitreichenden Flussnetz zu einer wichtigen Handelsroute, die Mexiko mit Mittelamerika verband.

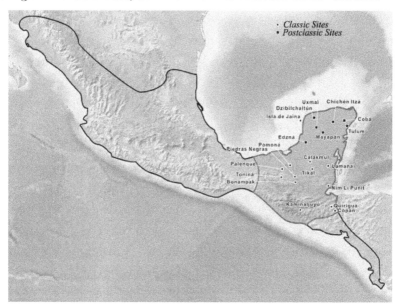

*Die Heimat der Maya. Quelle: https://commons.wikimedia.org*

Im Nordosten der Pazifikregion befindet sich das Hochland, so genannt nach seinen hohen Bergen mit einer Durchschnittshöhe von 760 Metern, deren höchste Gipfel sich auf 3.000 Meter erheben. Mit größeren Höhen gingen kühlere Temperaturen und geringerer Niederschlag einher. Die vulkanische Aktivität der Berge versah die Maya mit wichtigen Steinressourcen wie Obsidian (auch vulkanisches Glas oder Gesteinsglas genannt) und vulkanischem Basalt. Außerdem machten die Vulkane den Boden fruchtbar. So waren einige Täler durch die Verbindung von fruchtbarem Boden und einem passenden Klima hervorragend für die landwirtschaftliche Nutzung geeignet. Neben vulkanischem Gestein war das Hochland darüber hinaus reich an anderen wertvollen Mineralien wie Jade und Serpentin. Trotz der

Gefahr durch Vulkanausbrüche und Erdbeben begünstigten all diese Faktoren die Besiedlung dieses Gebiets durch die Maya.

Das Tiefland unterscheidet sich deutlich vom Hochland. Es ist weitgehend flach und war in der Vergangenheit mit dichtem Wald bedeckt. Diese Region ist reich an Kalkstein und Hornstein, wichtige Baumaterialien für die Maya, als auch an Gebieten mit fruchtbaren Böden und reicher Flora und Fauna. In den südlichen Regionen des Tieflands befinden sich Flüsse und Seen, die die Bewohner mit Fisch versorgten und gleichzeitig die Kommunikation trotz des dichten Waldes erleichterten. In den nördlicheren Gebieten, welche reich an Kalkstein sind, ist Wasser hingegen eine knappe Ressource. Einzig die als *cenotes* bekannten Kalksteinlöcher konnten als Quellen für Süßwasser genutzt werden. Die an die Halbinsel Yucatán angrenzende Küste des Atlantiks versorgte diese Region sowohl mit Salzwasserfischen als auch mit Meeresfrüchten. Alles in allem war das traditionelle Siedlungsgebiet der Maya – auch wenn es auf den ersten Blick nicht so aussehen mag – reich an Nahrung, Wasser und Baumaterialien. Daraus erklärt sich aus heutiger Sicht, warum die Vorfahren der Maya entschlossen, sich dort anzusiedeln.

Vielleicht noch wichtiger war jedoch die Menge an fruchtbarem Boden. Etwa 6.000 Jahre vor unserer Zeitrechnung fasste die Landwirtschaft in Mesoamerika Fuß, was einen bedeutenden Schritt in der Entwicklung der Kultur der Maya markierte. Ihre Vorfahren lebten bereits, aufgrund der üppigen Nahrung aus den Wäldern um sie herum ein halbsesshaftes Leben. Mit dem Aufstieg der Landwirtschaft um 2000 vor unserer Zeitrechnung, akkumulierten die Maya einen beachtlichen Nahrungsmittelüberschuss, was einen raschen Bevölkerungs- und Wohlstandszuwachs zur Folge hatte. Auf der Suche nach weiteren bestellbaren und fruchtbareren Böden breiteten sich die Vorfahren der Maya von den Küsten ihrer Heimat weiter ins Inland aus, während sich die Entwicklungen im Hochland zunächst langsamer vollzogen. Als ihre Gesellschaften komplexer wurden – aufgrund von Nahrungsüberschuss, aber auch durch den

Austausch mit anderen mesoamerikanischen Zivilisationen – begann sich um 1500 vor unserer Zeitrechnung eine übergreifende Kultur und Zivilisation der Maya herauszubilden. Erwähnenswert ist jedoch, dass Linguisten heute vermuten, dass sich die Proto-Mayasprache, aus der sich alle weiteren moderneren Mayasprachen entwickelt haben, schon um 2200 vor unserer Zeitrechnung herausgebildet hatte. Das bedeutet, dass sich die Maya schon von anderen mesoamerikanischen Stämmen differenziert hatten, noch bevor sie die Gesellschaftsstufe der Zivilisation erreichten.

Natürlich waren die Maya in ihren frühen Entwicklungsstufen nicht so vorherrschend, wie wir sie üblicherweise zeigen. Von 1500 bis 250 vor unserer Zeitrechnung existierte eine frühe Gesellschaftsstufe der Maya, die Historiker als die Präklassische Ära (oder Präklassik) bezeichnen. In dieser Zeit beruhte der Fortschritt der Maya vor allem auf dem Erlenen der Technologien und Ideen ihrer weiter entwickelten Nachbarn. Es folgte das goldene Zeitalter der Maya, die klassische Periode, die sich von 250 vor bis 950 nach unserer Zeitrechnung erstreckte. In jener Zeit waren die Maya die vorherrschende Kultur Mesoamerikas, mit großen Städten, einer starken Wirtschaft und einer im Vergleich zu anderen Zivilisationen fortschrittlichen Technologie. Im zehnten Jahrhundert kam dieses goldene Zeitalter jedoch zu einem abrupten Ende und führte zum dritten Abschnitt der Maya-Geschichte, der späten Maya-Zivilisation oder Postklassik, die bis zur Ankunft der Spanier in Mesoamerika im frühen 16. Jahrhundert andauerte. Diese Periode ist durch den langsamen Niedergang der Maya gekennzeichnet, die zwar noch immer eine wichtige, jedoch keine so vorherrschende Zivilisation wie zuvor darstellten. Das alles änderte sich mit der Ankunft der Spanier, die wenig Verständnis für jegliche Kultur, Religion oder Vorstellung zeigten, die nicht mit ihrer christlichen Weltsicht übereinstimmte. Sie arbeiteten mit so großer Hingabe an der Vernichtung des Kulturguts der Maya, dass sie für ein paar Jahrhunderte weitgehend vergessen wurden. Sie waren nur ein weiterer „Stamm von Wilden" der sogenannten Neuen Welt.

Diese Haltung begann sich im frühen 19. Jahrhundert langsam zu ändern, als Mexiko und andere mittelamerikanische Staaten ihrer Unabhängigkeit vom zusammenfallenden spanischen Reich erwirkten. In vielen Menschen erblühte ein Interesse an der Geschichte dieser Länder, wobei sich ihre Neugier an den bezaubernden Maya-Artefakten entzündete, die auf den vielen Kunstmärkten im Umlauf waren. Die Kunstsammler jener Zeit waren sich jedoch natürlich nicht bewusst, dass es sich dabei wirklich um Maya-Artefakte handelte. Getrieben von der Suche nach Wissen oder materiellem Gewinn begannen einige wagemutige Entdecker daraufhin in die dichten mexikanischen Dschungel zu ziehen.

Über Jahrzehnte hinweg fanden sie viele mit Bäumen und Lianen bedeckte Stätten, die mit den Jahren immer mehr Aufmerksamkeit auf sich zogen. Der Höhepunkt dieses Entdeckungsrausches wurde in den 1890er Jahren erreicht, als die ersten großen archäologischen Ausgrabungen und Untersuchungen der Maya-Stätten begannen. Mittlerweile waren sich Archäologen und Historiker sicher, dass die präkolumbianischen Zivilisationen, allen voran die Maya, mehr als nur „Barbaren" gewesen waren. Von nun an machten sie es sich zur Aufgabe diese Kulturen zu verstehen und ihre Geschichte zu entdecken. Obwohl viele Maya-Stätten im späten 19. und frühen 20. Jahrhundert gefunden und erforscht wurden, wusste man noch nicht viel über diese geheimnisvolle Zivilisation.

Die 1950er Jahre markierten einen Wendepunkt im Verständnis um die Vergangenheit der Maya. Zunächst einmal ermöglichten neue Technologien und neue archäologische Fundstätten den Forschern ein komplexeres Verständnis davon, wie die Zivilisation der Maya ausgesehen und sich entwickelt hatte, wichtiger jedoch waren die ersten Durchbrüche bei der Entzifferung der Schrift der Maya, wodurch es den Wissenschaftlern gelang, ein viel tieferes Verständnis für deren Geschichte zu entwickeln. Das Verständnis geschriebener

Texte auf Monumenten, in Büchern und auf Tempelwänden enthüllte weit mehr Details über die Maya als jedes andere Artefakt. Dieser bahnbrechende linguistische Durchbruch entzündete ein neues wissenschaftliches Interesse an der Geschichte der Maya und machte sie zu einem der dynamischsten historischen Forschungsfelder jener Zeit. Neue archäologische Funde profitieren heute aus diesem besseren Verständnis sowie der in der Forschung zur Regel gewordenen interdisziplinären Arbeit. Archäologen und Historiker schaffen es in Zusammenarbeit mit Wissenschaftlern anderer Disziplinen wie Linguisten, Anthropologen und Genetikern ein noch detaillierteres Bild dieser längst vergangenen Zivilisation zu zeichnen.

Eines dieser Details bezüglich der Maya ist besonders wichtig, nämlich die Erkenntnis, dass sie keine so einheitliche Gruppe bildeten, wie man es ich geläufig vorstellt. Nach landläufiger Meinung wird angenommen, dass es sich um einen großen homogenen Stamm handelte, der eine Zivilisation begründete, ähnlich den antiken Griechen. In Wirklichkeit waren die Maya dezentraler, in kleineren Gruppen unterteilt. Am deutlichsten wird dies an ihrer Sprache, die sich von der frühen Proto-Maya-Sprache über die Jahrtausende hinweg in viele kleinere regionale Sprachgruppen aufgeteilt hat. In der Klassischen Periode der Zivilisation der Maya gab es sechs große Sprachuntergruppen: Yucatecan, Huastecan, Ch'olan-Tzeltalan, Qanjobalan, und Quichean-Mamean. Trotz dieser Unterschiede gelang es ihnen jedoch, einen engen kulturellen und zivilisatorischen Zusammenhalt aufrechtzuerhalten, ähnlich der Zivilisation Mesopotamiens. Seit dieser Periode hat sich natürlich viel verändert und heute unterscheiden Sprachwissenschaftler etwa dreißig Varianten der Sprache der Maya. Die meistgesprochene Variante ist Quiché mit etwa einer Millionen Sprecher, welche sich auf das Gebiet des heutigen Guatemala konzentrieren. Ebenfalls wichtig ist Yucatecan, dessen Verbreitungsgebiet am größten ist, und die gesamte Halbinsel Yucatán mit etwa 800.000 Sprechern umfasst. Alles in allem sprechen heute noch sechs Millionen Menschen zumindest eine der vielen Variationen, wenn auch viele diese nicht als ihre Muttersprache betrachten.

*Eine heutige Maya-Familie aus Yucatán, Mexiko.*
*Quelle: https://commons.wikimedia.org*

Das führt uns zu einer anderen Tatsache, die in Bezug auf die Maya oft übersehen wird: Die Geschichte der Maya endet nicht im 16. Jahrhundert und sie verschwanden auch nicht als einheitliche ethnische Gruppe. Trotz der massiven Beeinflussung durch die spanische Herrschaft, gelang es ihnen, ihre Identität zu bewahren. In ihrer Sprache und ihren Traditionen lebt die Kultur und damit auch das Volk der Maya bis heute weiter. Die meisten der heutigen Maya leben in Guatemala, wo sie etwa 40% der gesamten Bevölkerung ausmachen. Sie bilden darüber hinaus eine bedeutende Minderheit im südlichen Mexiko und der Halbinsel Yucatán. Auch in Honduras, Belize und El Salvador leben heute noch Maya, aber in weit geringerer Zahl. Man geht davon aus, dass die Gruppe der Maya heute zwischen sechs und sieben Millionen Menschen zählt. Das macht sie zu einer der größten indigenen ethnischen Gruppen in Amerika, was ein weiterer wichtiger Grund für uns ist, mehr über ihre Vergangenheit, ihre Kultur und ihre Zivilisation zu erfahren.

# Kapitel 2 – Von Stammesdörfern zu frühen Staaten

Bevor wir in die Details gehen, werfen wir zunächst einen Blick darauf, wie sich diese Zivilisation historisch seit ihrer frühesten Zeit, der Präklassik, entwickelt hat. In dieser Periode schufen die Maya die Basis ihrer Kultur, begründeten eine komplexere Gesellschaft und veränderten ihre Wirtschaft, Kriegsführung und Politik. Ihre Zivilisation entwickelte sich von Stammesdörfern über komplexere Stammesfürstentümer bis hin zu den frühen Staaten der Maya. Diese Veränderungen begannen zuerst in den Gebieten an der Pazifikküste, wo die Maya wahrscheinlich dank der Verbesserungen in der Landwirtschaft die ersten großen Nahrungsüberschüsse erzielten. Um 1700 vor unserer Zeitrechnung gab es bereits größere Dörfer, die deutliche Anzeichen einer vollständig sesshaften Lebensweise vorwiesen, wenn auch recht primitiv und unzivilisiert. Aber im folgenden Jahrhundert vollzog sich eine weitere große und wichtige Veränderung im Leben der Maya, nämlich die Entwicklung der Töpferei. Als kulturelle Ausdrucksform wurde sie benutzt, um Figuren herzustellen, die wie in den meisten frühen Gesellschaften der Welt Frauen darstellten. In der praktischen Anwendung begannen die Maya Gefäße zu töpfern, um Nahrung zu lagern und zu transportieren. Dabei ist bemerkenswert, dass sich in ganz Mesoamerika der Wandel zur sesshaften, ackerbautreibenden Gesellschaft etwa zur gleichen Zeit vollzog, was die Entwicklung von Handel ermöglichte. Und – zum Glück für die Maya an der Pazifikküste – befanden sie sich dafür an genau der richtigen Stelle.

Die einfachste und schnellste Handelsroute von Mittelamerika ins heutige Mexiko kreuzte das Maya-Territorium im äußersten Süden. Und mit der Verfügbarkeit von Töpferwaren war es einfacher, Nahrung, die vermutlich das erste Handelsgut der Region darstellte, zu handeln und zu transportieren. Für die Maya – wie für viele frühe Gesellschaften – stellte der Handel einen entscheidenden Schritt im Voranschreiten ihrer Zivilisation dar. Er führte zu einer stärkeren Gliederung der Gesellschaft und zur Geburt von gesellschaftlichen Eliten. Aufgrund der Anhäufung von Wohlstand und Macht begannen die herrschenden Schichten zunehmend Kontrolle über die niedrigeren Klassen auszuüben. Das führte zur Gründung der ersten Stammesfürstentümer um 1400 vor unserer Zeitrechnung, in denen ein Dorf weitere kleine Weiler beherrschte. Diese Anzeichen einer hierarchisch gegliederten Gesellschaft zeigen auch, dass die frühen Maya-Häuptlinge in der Lage waren, die übrige Bevölkerung zu zwingen, an öffentlichen Arbeiten teilzunehmen, wie dem Bau von Tempeln und anderen rituellen Gebäuden, die die Säulen der frühen Kulturen darstellten. Darüber hinaus trieb der Handel die Maya an, größeres handwerkliches Können und neue Werkzeuge zu entwickeln, um einerseits den Ackerbau zu verbessern und mehr Nahrungsüberschuss zu erzielen und andererseits, um sie als Handelsgüter zu verwenden. Das bedeutete, dass ein Teil der Maya-Bevölkerung sich neben dem Ackerbau auf die Entwicklung und Verbesserung handwerklichen Könnens konzentrierte. Diese soziale Diversifizierung war ein weiterer wichtiger Schritt in der Entwicklung früher Gesellschaftsformen.

Nicht lange danach, etwa seit 1200 vor unserer Zeitrechnung, wurden die Dörfer der Maya an der Pazifikküste reich und mächtig.

Zum ersten Mal überstieg auch die Zahl der Einwohner die Tausendergrenze. Sie verbesserten ihre Fertigkeiten in der Töpferei bis hin zu einem künstlerischen Niveau. Große Mengen von Obsidian in einigen Dörfern zeigen uns darüber hinaus, dass ihr Reichtum und ihre Macht aus der Kontrolle über diesen wertvollen Rohstoff stammten. Der Handel war der wichtigste Faktor, der die Zivilisation der Maya vorantrieb. Von diesem Zeitpunkt an wurden die am weitesten entwickelten Siedlungen der Maya mächtig genug, um sich vom lokalen auf den regionalen Handel auszuweiten. Das führte dazu, dass die Maya in Kontakt mit anderen, bereits weiter entwickelten Gesellschaften kamen. Die bedeutendsten unter diesen waren wahrscheinlich die Olmeken, die an der Golfküste im südlichen Zentrum Mexikos lebten. Die Olmeken waren zu der Zeit die am weitesten entwickelte Zivilisation Mesoamerikas. Sie verfügten über eine strukturierte Religion, Handel, städtische Zentren und hochentwickelte Kunst. Man nimmt an, dass sie die Entwicklung aller Kulturen und Zivilisationen Mesoamerikas beeinflusst haben. Die Maya waren keine Ausnahme. Sie übernahmen wichtige zivilisatorische Errungenschaften von den Olmeken: das Pantheon der Götter und deren monumentale Gebäude, den Bau von Städten und das Abhalten bestimmter Rituale, den Kunststil und die Verehrung der herrschenden Klasse.

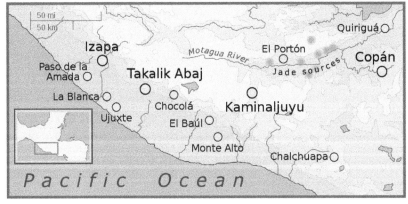

*Die Heimat der Maya an der Pazifikküste.*
*Quelle: https://commons.wikimedia.org*

Auch wenn die Anzeichen einer kulturellen Interaktion der Olmeken mit einem großen Teil Mesoamerikas sicher sind, zweifeln einige Historiker in den letzten Jahren die Vorstellung an, dass die olmekische Zivilisation die „Mutter der Kultur" der gesamten Region gewesen sei. Sie sind der Ansicht, dass der kulturelle Austausch sich so rasch ereignete, dass es unmöglich ist, genau festzustellen, ob alle erwähnten Merkmale auf die Olmeken zurückgehen. Sie argumentieren, dass dieser zivilisatorische Sprung das gemeinsame Werk aller durch den Handel verbundenen mesoamerikanischen Kulturen war. Allerdings lässt es sich nicht leugnen, dass die Städte der Olmeken die größten und mächtigsten in dieser frühen Periode der mesoamerikanischen Geschichte waren und dass viele ihrer Nachbarn und Handelspartner sie nachahmten. Unter ihnen befanden sich auf jeden Fall zumindest einige Siedlungen der Maya. Um 1000 vor unserer Zeitrechnung begann der olmekische Kunststil frühere Formen der Maya-Figuren und Gefäße zu ersetzen und Jade wurde zu einem wertvollen und begehrten Material der Maya-Eliten. Später, ab etwa 850 vor unserer Zeitrechnung, vergrößerten sich die Siedlungen und Dörfer der Maya und folgten damit dem Vorbild der olmekischen Stadt La Venta, das wichtigste und mächtigste Zentrum der Olmeken von 900 bis 300 vor unserer Zeitrechnung.

Der Sprung von Dörfern zu frühen Städten ist wichtig. Er zeigt, dass die Maya zu dieser Zeit reicher und mächtiger geworden waren, was zumindest zu Teilen ihrem verstärkten Handel mit den Olmeken und anderen Kulturen zu verdanken war. Aber so sah es nur im Siedlungsgebiet der Maya an der Pazifikküste aus. Im Norden, im Tiefland, lagen die Dinge etwas anders. Als sich die südlichen Maya um 1200 vor unserer Zeitrechnung im regionalen Handel engagierten, lebten ihre nördlichen Brüder noch in von der Landwirtschaft geprägten Siedlungen und in einer egalitären Gesellschaft. Die Maya im Tiefland begannen um 1000 vor unserer Zeitrechnung zu den Maya an der Pazifikküste aufzuschließen, was sich an der Veränderung ihrer Architektur ablesen lässt. Zum einen bedeutet das, dass die Gemeinschaft aller Maya zunächst keine einheitliche Zivilisationsstufe vorwies. Verschiedene Regionen waren verschieden weit entwickelt. Wie sich aber an den Funden von Jadekunstwerken im olmekischen Stil ablesen lässt, holten selbst abgelegene Teile der Maya zu ihren Brüdern am Pazifik auf. Gegen 700 vor unserer Zeitrechnung nahm die Entwicklung in den Gesellschaften der Maya im Tiefland an Fahrt auf. Sie begannen, monumentale Baukomplexe zu errichten und legten gepflügte und entwässerte Hochäcker an, um Sumpfgebiete landwirtschaftlich zu erschließen. Gleichzeitig wurde der Handel wurde zu einem wichtigeren Teil ihres Lebens, ebenso wie bei den Maya im Süden. Die in den Maya-Zentren des Tieflands gefundenen Artefakte sind größtenteils olmekischen Ursprungs, was beweist, dass auch sie unter den wichtigsten Handelspartner des Tieflands waren.

Als sowohl die südlichen als auch die nördlichen Regionen des Maya-Territoriums eine Zeit des Wachstums und der Anhäufung von Reichtum und Macht erlebten, begannen die mächtigsten Städte sich von den erwähnten Stammesfürstentümern zu Proto-Staaten zu entwickeln. Eines der frühesten und besten Beispiele dafür ist die Siedlung La Blanca an der Pazifikküste, welche von etwa 900 bis 600 vor unserer Zeitrechnung florierte. Es gelang dem Ort, die Kontrolle über Gebiete im Umfang von 300 Quadratkilometern inklusive zwei weiteren städtischen Zentren neben der Hauptstadt zu gewinnen. Diese beiden Städte waren natürlich kleiner und standen in der Hierarchie unter der Hauptstadt. Neben diesen urbanen Zentren kontrollierten die Einwohner von La Blanca mindestens sechzig weitere Dörfer und Siedlungen in der Umgebung. Diese Vorherrschaft garantierte La Blanca eine erhebliche Arbeitskraft, die für monumentale öffentliche Werke gebraucht wurde. Ein Beispiel für die Mobilisierung der Arbeitskraft war ein auf einem Podest stehender Tempel von 24 Metern Höhe, der als einer der größten Tempel Mesoamerikas der damaligen Zeit gilt. Neben La Blanca brachten die südlichsten Maya-Regionen weitere größere städtische

Zentren hervor, die über komplexere Hierarchien und größeren Einfluss als je zuvor verfügten.

Eines der erhellenden Beispiele für deren Macht stammt aus den Herrschergräbern dieser Hauptstädte. Das größte, um 500 vor unserer Zeitrechnung datierte Grab, war eine Steinkrypta mit wertvollen Grabbeigaben wie Jade und Muscheln, ein gemeißeltes Steinzepter und drei Trophäenköpfe – Hinweise auf die Stellung und den Reichtum des dort begrabenen Mannes. Aber die wahre Macht, die diesem toten König beigemessen wurde, demonstrierten die zwölf Menschenopfer, die um ihn herum gefunden wurden. Im Gegensatz zum König wurden sie mit dem Gesicht nach unten begraben. Ihre Rolle im Begräbnisritual bestand wahrscheinlich darin, dem König im Leben nach dem Tode zu dienen. Menschenopfer und Trophäenköpfe zeigen uns gemeinsam mit anderen Schnitzereien und Speerspitzen, dass die Kriegsführung zu einem wichtigen und normalen Bestandteil des Lebens der Maya geworden war. Die Herrscher fanden schnell heraus, dass kleine Raubzüge ein probates Mittel waren, um Reichtum und Arbeitskraft anzuhäufen und eventuelle Rivalen loszuwerden. Außerdem wurden Kriegsgefangene als religiöse Opfer eingesetzt. Mit diesen Ritualen verstärkten die Herrscher auch die Autorität über ihre Untergebenen und bewiesen, dass sie mehr als fähig waren, sich sowohl in religiösen als auch in materiellen Aspekten des Lebens um sie zu kümmern.

Der Wohlstand in materieller und religiöser Hinsicht zeigte sich auch im Tiefland, wenn auch nicht so stark wie in der Pazifikregion. Man errichtete immer größere Tempel wie El Mirador im südlichen Tiefland, der den ägyptischen Pyramiden an Größe gleichkam. Die Maya bauten außerdem rituelle Spielfelder für Ballspiele sowie *sacbeob* (Singular *sacbe*), erhöhte Wege, die Tempel, Plätze und andere Bauten an zeremoniellen Stätten miteinander verbanden und die höchstwahrscheinlich eine religiöse Bedeutung hatten. Dennoch scheint die wichtigste Entwicklung im Tiefland die Expansion der Maya von den Fluss- und Seeufern in das dicht bewaldete Innere der

Region gewesen zu sein. Dies wurde durch die Entwicklung der Brandrodung ermöglicht, die es erlaubte, Teile des Waldes für die Landwirtschaft zu schwenden (nutzbar zu machen). Nach der Nutzung ließ man diesen Teil brachliegen und sich erholen, sodass man den Prozess später wiederholen konnte. Mit dieser Expansion war bald fast das gesamte Tiefland von den Maya besiedelt.

Die Ausdehnung der Zivilisation der Maya war nicht auf das Tiefland begrenzt. Als sowohl die nördlichen als auch die südlichen Gebiete des Maya-Territoriums reicher wurden und sich stärker im Handel engagierten, verbreiteten sie ihre Einflüsse auch ins Hochland. Diese Region war zwar bereits seit 1000 vor unserer Zeitrechnung besiedelt, aber im Vergleich recht kärglich entwickelt. Ihr Wachstum und ihre Ausdehnung, die gegen 800 vor unserer Zeitrechnung bekundet ist, wurde höchstwahrscheinlich durch die Entwicklung des Handels zwischen dem Tiefland und der Pazifikküste beeinflusst, was bedeutete, dass die Händler über das Hochland ziehen mussten. Das hieß, dass die Maya im Hochland begannen, von ihren Verwandten zu lernen und deren Fortschritte zu übernehmen. Um 600 vor unserer Zeitrechnung begannen sie, die Bewässerungstechnik zu nutzen, um die Täler, in denen sie lebten, fruchtbarer zu machen, und gemeinsam mit anderen Anzeichen von öffentlichen Anlagen wie Monumenten und Tempeln zeigt dies, dass sie in der Lage waren komplexere Gesellschaften herauszubilden, in denen Eliten in der Lage waren, Arbeitskraft für gemeinsame Projekte zu mobilisieren. Das beste Beispiel dafür ist Kaminaljuyu, ein städtisches Zentrum im heutigen Zentral-Guatemala, in der Nähe von Guatemala-City. Dieser Siedlung gelang es, durch die Kontrolle der Bewässerung ihre Vorherrschaft über das gesamte Tal, in dem sie lag, auszudehnen. Schnitzereien zeigen, dass die Herrscher dieser Stadt ihre starke Herrschaft aufgrund ihrer religiösen Rolle wie auch aufgrund ihres Erfolgs in der Kriegsführung ausübten. Da sie außerdem an einer wichtigen Handelsroute lagen, die die südlichen

Siedlungsgebiete der Maya mit den nördlichen verband, wurden sie durch deren Beherrschung recht wohlhabend.

Dieser Reichtum kam größtenteils der herrschenden Elite oder – genauer gesagt – den Herrschern selbst zugute, wie es in fast allen mesoamerikanischen Städten dieser Zeit der Fall war. Die Anhäufung von Reichtum und Macht in den Händen der Herrscher war der Schlüssel für den nächsten Entwicklungsschritt der Maya-Gesellschaft – der Herausbildung der frühen Staaten. Um 400 vor unserer Zeitrechnung wuchsen Städte wie die zuvor erwähnten Kaminaljuyu und El Mirador beträchtlich und bedeckten eine Fläche von bis zu vier Quadratkilometern, womit diese städtischen Zentren genauso groß, wenn nicht größer waren als Städte des antiken Griechenlands wie etwa Athen. Das Wachstum war eine direkte Folge ihres Erfolgs im Handel und der Tatsache, dass die zuvor vorherrschenden Olmeken sich im stetigen Niedergang befanden und langsam von der historischen Bühne verschwanden. Mit größerem Wachstum wurde auch die Gesellschaft der Maya komplexer und es bildeten sich über die herrschenden Eliten und die einfachen Bürger weitere gesellschaftliche Klassen heraus. All das kulminierte in der Schaffung eines starken Herrscherkultes, wahrscheinlich unter Einfluss der Olmeken, der sich teilweise auf ihre religiöse Rolle in der Gesellschaft gründete. Mit der unbestreitbaren Autorität des Herrschers, die man jetzt als Könige bezeichnen darf, war die Entwicklung der Maya-Zivilisation von Stammesfürstentümern zu Staaten abgeschlossen.

*Ein ausgegrabener Teil der Akropolis von Kaminaljuyu.*
*Quelle: https://commons.wikimedia.org*

Ein gutes Beispiel für diese Transformation ist El Ujuxte, eine Stadt, die wohl als Nachfolger von La Blanca als dem wichtigsten städtischen Zentrum der Pazifikregion gelten kann. Diesem Machtzentrum gelang es, einen Staat zu bilden, der über 600 Quadratkilometer bedeckte und über vier Verwaltungsebenen verfügte. Diese Region umfasste ein paar einfache Siedlungen und eine Hand voll Sekundärzentren, die die Hauptstadt nachahmten. Als Hauptstadt war El Ujuxte zentral organisiert und verfügte über monumentale Bauten im Stadtzentrum, die höchstwahrscheinlich zeremonielle und religiöse Funktionen erfüllten und die für die Autorität des Herrschers wichtig waren. Das Zentrum war von Wohngegenden umgeben, was bedeutete, dass die Stadt ein geschäftiges urbanes Zentrum mit blühender Wirtschaft darstellte. Archäologen nehmen an, dass der Staat neben der Kontrolle der Handelsrouten, die sicherlich viel zu seinem Erfolg beitrug, sich als Quelle seines Reichtums auf Kakao und Gummi stützte. Die Reichtümer, die in die Stadt flossen, gingen größtenteils an den Herrscher und die herrschende Elite, was sich an den zahlreichen großen öffentlichen Bauten, Gräbern und Monumenten ablesen lässt, die die Könige zum Zeichen ihrer Macht erbauen ließen. Natürlich war El Ujuxte kein Einzelfall, es gab zahlreiche Staaten und Städte an der Pazifikküste, die in den letzten Jahrhunderten vor der gemeinsamen Ära ein ähnliches Wachstum und eine ähnliche Entwicklung vollzogen.

Die nördlichen Maya des Tieflands folgten einer ähnlichen Entwicklung, die an der Ausgrabungsstätte von El Mirador am augenfälligsten wird. Die Stadt El Mirador war etwas kleiner als El Ujuxte, aber ihre wahre Macht zeigte sich in der Größe ihrer Bauten. Der Pyramidentempel La Danta, ein Teil dieses städtischen Zentrums, war nicht nur die größte Pyramide in der Geschichte der gesamten Maya-Zivilisation, ihm gebührt auch der Titel der größten bekannten Pyramide in ganz Mesoamerika. Mit einer Höhe von 72 Metern und einem geschätzten Volumen von 2.800,000 Kubikmetern ist er darüber hinaus eine der größten Pyramiden der Welt. Und auch wenn dieser majestätische Tempel den Zeitgenossen und uns heute beeindruckend erscheint, sollte man feststellen, dass hinsichtlich des Baus und der Unterhaltung sehr viel mehr Arbeitskraft in das Netz von Straßen und Dämmen investiert wurde, das El Mirador mit seinen Unterzentren verband. Diese Wege erleichterten den Handel und erlaubten es den Herrschern, Kontrolle auszuüben. Ähnlich wie in El Ujuxte war die Kontrolle das Rückgrat von El Miradors Macht und Reichtum. Unglücklicherweise können Archäologen heute nicht genau sagen, wie weit seine politische Vorherrschaft reichte, obwohl es eindeutige Zeichen gibt, dass einige der umliegenden Städte und Dörfer unter der Kontrolle von El Mirador standen. Was jedoch feststeht ist, dass die Macht der Könige von El Mirador enorm war, insbesondere in der Zeit, als sie über tausende von Arbeitern und eine Bevölkerung herrschten, die in die Zehntausende ging. Ohne Zweifel herrschten sie über den mächtigsten Staat des Tieflandes.

Die Könige von Kaminaljuyu waren in einer recht ähnlichen Position wie die Könige von El Mirador und El Ujuxte, sie regierten den mächtigsten Staat im Hochland. Die genaue Hierarchie und Reichweite ihrer direkten Herrschaft sind heute nicht gesichert, was vor allem daran liegt, dass die heutige Hauptstadt Guatemalas zum großen Teil über der einstigen Metropole liegt. Es gibt aber

Anzeichen über die Reichweite ihrer Herrschaft. Zum Beispiel die 19 Kilometer nordöstlich gelegenen Obsidiansteinbrüche, woraus sich ablesen lässt, dass ihre politische Vorherrschaft ein ziemlich großes Gebiet umfasste. Die Kontrolle der Steinbrüche zeigt auch, dass die Stadt ein wichtiger Produktionsort von Schneidwerkzeugen war, die in andere Gebiete des Territoriums der Maya exportiert wurden. Neben seinen Exporten hing die Wirtschaft Kaminaljuyus auch von der Handelsverbindung zwischen dem Tiefland und der Pazifikküste ab, die über sein Territorium verlief. Mit der aufsteigenden Wirtschaft waren die Herrscher in der Lage, ältere Bewässerungssysteme um zwei neue, große Kanäle zu erweitern, was für die Förderung der Landwirtschaft in den weniger fruchtbaren Gebieten bedeutsam war. Diese Art öffentlicher Projekte zeigt deutlich, dass die Könige von Kaminaljuyu ebenfalls einen starken Einfluss über ihre Untertanen ausübten, da die zum Bau und später zum Unterhalt der Bewässerungssysteme sowie anderer monumentaler Bauwerke nötige Arbeitskraft der der Könige von El Mirador gleichkam. Neben diesen indirekten Belegen weisen auch zahlreiche Monumente und reiche Grabbeigaben auf ihre Macht und ihren Reichtum hin.

Aber die Monumente erzählen uns noch mehr. Neben Zeugnissen der Macht geben sie uns auch Hinweise darauf, wie die Gesellschaft der Maya im Lauf der Staatenentwicklung komplexer wurde. Wenn man sich die Monumente und andere Kunstwerke anschaut, wird ersichtlich, dass es eine Vielzahl an spezialisierten Kunsthandwerkern gab, deren Fähigkeiten ein neues Niveau erreicht hatten. Diese Art der horizontalen Schichtung einer Gesellschaft ist das Ergebnis einer vielfältigeren Arbeitsteilung und einer gut entwickelten Wirtschaft. Ein Ergebnis der sich entwickelnden Gesellschaft war die kulturelle und zivilisatorische Entwicklung, die zu einigen bedeutenden Innovationen führte. Die einflussreichste und wichtigste von ihnen war sicherlich die Entwicklung von Schreibsystemen und dem heute sogenannten Maya-Kalender. Obwohl beide Innovationen aus anderen mesoamerikanischen Zivilisationen übernommen wurden, entwickelten die Maya damit das, was wir heute als Kennzeichen ihrer klassischen Zivilisation erachten. Manche Historiker betrachten diese Periode zwischen dem ersten Jahrhundert vor unserer Zeitrechnung und dem ersten Jahrhundert unserer Zeitrechnung sogar eher als Bestandteil der frühen Klassischen Periode als der späten Präklassik, aber die alte Einteilung hat Bestand. Doch ungeachtet dessen, wie Wissenschaftler diese Zeit nennen, ist klar, dass die Maya einen ziemlich hohen Entwicklungsstand erreichten.

Unglücklicherweise bedeutete dieser Entwicklungsstand nicht, dass die Maya friedliebend waren, weder unter sich noch gegenüber ihren Nachbarn. Dies ist aus der Darstellung von Eroberungs- und Siegesszenen der Könige und Krieger der Maya klar ersichtlich, die sich häufig in Form von Steinmetzarbeiten auf Monumenten und auch in anderen Kunstformen wiederfinden. Menschenopfer und Trophäenköpfe zeigen nicht nur die militante Seite der Maya, sondern auch, dass Tapferkeit im Krieg für die Festigung der Macht der herrschenden Klasse wichtig war. Und wenn das alles wie ein Indizienbeweis aussehen mag, bestätigt der Umstand, dass einige Herrscher befestigte Mauern und Gräben um ihre Städte bauten, dass Krieg ein wichtiger Bestandteil ihrer Kultur war. Es scheint sogar, als sei niemand vor der Gefahr eines Krieges sicher gewesen, egal wie stark und groß die Staaten waren. Sogar El Mirador, eine der mächtigsten Städte ihrer Zeit, war befestigt. Archäologen haben an einigen Stätten Spuren von Kämpfen gefunden, die auf eine absichtliche Zerstörung hindeuten und zeigen, dass die Kriegsführung nicht nur aus einfachen Raubzügen bestand, sondern zeitweise auch auf die Vernichtung des Feindes ausgerichtet war. Aber der Krieg beeinflusste nicht nur die beteiligten Parteien. Teile der Bevölkerung und gar ganze Städte litten ungemein unter den Einbrüchen des wirtschaftlich bedeutsamen Handels während kriegerischer Auseinandersetzungen.

Einige Historiker behaupten sogar, dass Krieg der Hauptgrund für den Niedergang der frühen Maya war, der um 150 unserer

Zeitrechnung begann. Sie sind der Ansicht, dass die Konkurrenz um Macht und Kontrolle den Handel so sehr beeinträchtigte, dass viele Städte verlassen und zerstört wurden und zu einem sogenannten kulturellen Hiatus, einer kulturellen Lücke führte, der von 150 bis 250 unserer Zeitrechnung andauerte. Aber obwohl der Krieg eindeutig eine wichtige Rolle für den Niedergang der präklassischen Maya spielte, ist es wahrscheinlicher, dass noch weitere Umstände diesen begünstigten. So gibt es Hinweise auf Trockenperioden in beinahe dem gesamten Siedlungsgebiet der Maya. Man nimmt an, dass die Menschen dabei eine zentrale Rolle spielten, durch Überbevölkerung, Abholzung von Wald und der Überbeanspruchung des fruchtbaren Bodens. Das führte zum Austrocken von Seen um Kaminaljuyu herum, während sich die Umgebung von El Mirador in Sumpfgebiet verwandelte. Damit noch nicht genug, brach um 200 unserer Zeitrechnung der Vulkan Llopango in El Salvador, am südlichen Rand des Siedlungsgebietes aus. Viele Orte im Südosten wurde verlassen, darunter wichtige Herstellungszentren von Werkzeugen aus Obsidian, die lebensnotwendig für die Wirtschaft der Maya waren, und damit die Handelsouten zu den Orten an der Pazifikküste und dem Rest Mittelamerikas abschnitten. Darüber hinaus verbreitete sich vulkanische Asche über die Region und erschwerte die Landwirtschaft, blockierte Flüsse und veränderte ihren Lauf.

Diese Naturkatastrophen beeinflussten die Region der Pazifikküste weiträumig, was dazu führte, dass sie ihren Platz als das höchstentwickelte Gebiet der Maya verlor und dem Tiefland diese Rolle überließ. Die Unterbrechung des Handels im Süden eröffnete den Maya im Norden neue Möglichkeiten, welche sie auch ergriffen. Aber auch das Tiefland hatte mit schweren Einbrüchen zu kämpfen. El Mirador musste aufgegeben werden, da das Sumpfland rundherum nicht fruchtbar genug war dessen große Bevölkerung zu ernähren. Kaminaljuyu ereilte ein ähnliches Schicksal. Die Stadt überlebte, obwohl es aussieht, als hätte eine neue Gruppe der westlichen

Mesoamerikaner die Kontrolle übernommen, ein weiteres Merkmal für eine Welle von Kriegen in dieser Zeit. Die Naturkatastrophen führten zu schwindenden Ressourcen, die wiederum zu härterer Konkurrenz und einer Eskalation des Krieges zwischen den Maya führten. Alle diese Faktoren zusammengenommen lief es nicht nur auf einen kulturellen Niedergang und eine Machtverschiebung vom Süden in den Norden hinaus, sondern auch zu einer erheblichen Entvölkerung des gesamten Siedlungsgebietes und einer weiteren Schwächung der Zivilisation der Maya. Aber ungeachtet der katastrophalen Begebenheiten zum Ende der Präklassik, legte diese Periode die Basis für die Zivilisation der Maya, die bis zu ihrem endgültigen Niedergang durch die spanische Eroberung Bestand hatte.

# Kapitel 3 – Das goldene Zeitalter

Der sogenannte Hiatus der Maya in der Spätphase der Präklassik bedeutete nicht wirklich das Ende der Geschichte der Maya, wie apokalyptisch sich die Berichte darüber auch immer anhören mögen. Diese Periode stellte eher eine Pause in der Entwicklung und Blütezeit dar. Die schwerwiegendste Folge war, dass die Region an der Pazifikküste ihre Position als fortschrittlichste Region an das südliche Tiefland verlor. Dieses Gebiet wurde zum Herzen der Klassischen Ära und markierte den Höhepunkt der Zivilisation der Maya. Viele Veränderungen ereigneten sich, meist auf den Grundlagen, die in den vorherigen Jahrhunderten gelegt worden waren. Herrscher waren nicht mehr nur mit den Göttern durch Zeremonien und Rituale verbunden, sondern wurden nun selbst verehrt. Und die Herrscher der Klassischen Ära wurden üblicherweise in Kriegertracht abgebildet, was ihre Entwicklung zu Kriegerkönigen symbolisierte. Die Schreibkunst verbreitete sich, konzentrierte sich aber auf religiöse und staatliche Angelegenheiten, während die Tempel immer noch das Zentrum des öffentlichen Lebens darstellten. Die Kunst der Maya wurde bunter und detailreicher und erreichte ein neues Niveau an Finesse. Das goldene Zeitalter ließ die Bevölkerung erheblich anwachsen, aber die politische Landkarte erlaubte es ihnen nicht, sich in einem einzigen Reich zu vereinigen. Die Maya blieben in viele

Staaten unterteilt, die die Staaten früherer Zivilisationen an Glanz übertrafen und zwergenhaft erscheinen ließen.

Fast alle kulturellen Aspekte der Klassischen Ära der Maya hatten ihre Wurzeln im vorherigen Zeitalter, das gilt auch für die meisten Städte und Staaten. Tikal, ein bedeutendes Machtzentrum in der Mitte des Siedlungsgebietes der Maya im Norden Guatemalas war keine Ausnahme. Sie war eine der Städte, die vom Fall El Miradors profitierte, welche bis dato Teile des Gebietes der Maya dominiert hatte. Tikal wurde ein bedeutender Handelsknotenpunkt, der Ost- und West-Mesoamerika miteinander verband. Die politische Macht dieses Staates wuchs zunehmend an, da er es verstand, die Vorherrschaft über die umliegenden Städte zu gewinnen und verbündete Dynastien in weiter entfernte Städte, wie im heutigen Yucatán und Honduras, einsetzte. Die Stadt Tikal selbst wuchs für die Maya der Präklassischen Periode zu unvorstellbarer Größe heran. Sie bedeckte eine Fläche von 60 Quadratkilometern. Noch beeindruckender war die Tatsache, dass die Stadtbefestigungen ein Gebiet von 123 Quadratkilometern schützten. Die Bevölkerung dieser großen Stadt wird auf sechzig- bis hunderttausend Einwohner geschätzt, ein sehr deutliches Zeichen ihrer Macht und ihres Reichtums. Um 300 unserer Zeitrechnung wurde Tikal so mächtig, dass es nicht nur Handels- sondern auch diplomatische Verbindungen nach Zentralmexiko errichtete und so zum mächtigsten Staat des frühen Klassischen Zeitalters wurde.

Natürlich wollten die Könige von Tikal wie alle vorherigen Herrscher der Maya ihren Erfolg und ihre Macht zur Schau stellen. Sie taten dies mit Monumenten, genauer gesagt mit Stelen - hohe, freistehende, monolithische Pfeiler. Zur Zelebration ihrer selbst, ließen sie wichtige Daten und Namen in Stelen meißeln und hinterließen damit einige der wichtigsten Quellen, über die Historiker heute verfügen. Auf einer von ihnen wird einer ihrer Gründungsherrscher als Yax Ehb Xook bezeichnet, der im ersten Jahrhundert unserer Zeitrechnung herrschte. Historiker sind überzeugt, dass er nicht der erste Herrscher war, da die Stadt lange zuvor gegründet worden war, sondern den Titel „Gründer" erlangte, da er dazu beitrug, politische Unabhängigkeit zu erlangen. Diese Monumente zeigen, wie Tikal die Unabhängigkeit der umliegenden Städte beendete, denn in den eroberten Städten finden sich keine Spuren von Stelen, die lokalen Herrschern gewidmet waren. Eine der interessantesten Geschichten, die wir aus diesen Monumenten ablesen können, ist ein dynastischer Wechsel in Tikal. Im Jahr 378 unserer Zeitrechnung starb ein König namens Chak Tok Ich'aak I. (Große Jaguartatze), als Siyaj K'ak' (Rauchender Frosch) in der Stadt erschien. Wenn das zunächst nach Zufall aussehen mag, zeigt der Umstand, dass der nächste König, Yax Nuun Ayiin (Gewellte Nase) ein Jahr später von Siyaj K'ak' gekrönt wurde, dass dem wohl keinesfalls so war. Die Übernahme verlief nicht friedlich, da die meisten Stelen, die vor 378 hergestellt wurden, verunstaltet oder mutwillig zerstört wurden. Ebenso scheint es, dass Yax Nuun Ayiin den Thron nicht aufgrund irgendwelcher legitimen Ansprüche bestieg, sondern er Berichten zufolge behauptete, ein Herrschersohn eines nicht näher spezifizierten Königreichs zu sein.

*Der zentrale Platz und der Tempel in Tikal.*
*Quelle: https://commons.wikimedia.org*

Obwohl die genaue Herkunft von Gewellter Nase auf den Monumenten nicht vermerkt ist, engten sie Historiker auf einen, fast sicheren Ort ein - die Stadt Teotihuacan in Zentralmexiko, der späteren Aztekenregion. Belege dafür liegen in Quellen vor, die darauf hindeuten, dass Rauchender Frosch und seine Armee aus dieser Richtung kamen, aber auch weil Yax Nuun Ayiin in der Tracht eines Teotihuacano gezeigt wird. Natürlich ist dies kein endgültig schlüssiger Beweis, aber die Tatsache, dass Teotihuacan eine der größten und mächtigsten Städte in ganz Mesoamerika war, die vom ersten bis zum sechsten Jahrhundert unserer Zeitrechnung eine Vorherrschaft ausübte, spricht für diese Theorie. Die Macht und die Reichweite der Stadt waren so groß, dass einige Historiker annehmen, dass ihr Aufstieg einer der Faktoren für die Beeinträchtigung des Maya-Handels war, der zum Hiatus der Maya führte. Es ist aber wichtig festzustellen, dass die zentralamerikanische „Supermacht" Teotihuacan um 400 unserer Zeitrechnung auch verbündete Vasallen in Kaminaljuyu einsetzte, was zusammen mit der Kontrolle über Tikal bedeutete, dass Teotihuacan direkteren Zugang zu wertvollen Ressourcen wie Jade, Obsidian, Jaguarpelzen und Federn tropischer Vögel erhielt. Die Interaktion zwischen den beiden Regionen beeinflusste auch die Maya-Kultur, ihren Kunststil, ihre Architektur und andere zivilisatorische Aspekte. Die Eroberer aus Teotihuacan brachten auch ihre ausgefeilteren und tödlichen Waffen mit, die die Maya rasch übernahmen. Der fremde Einfluss trug ebenfalls zum Kult und Symbolismus des Kriegerkönigs bei, der sich in Zentralmexiko bereits verfestigt hatte.

Der Einfluss Teotihuacans war nicht auf die Kultur beschränkt, er erstreckte sich auch auf die Wirtschaft und die Politik. Für Tikal war es sicherlich vorteilhaft, ein Verbündeter des mächtigsten Staates der Region und seines Netzwerks von Verbündeten zu sein. Der Zugang zu viel reicheren Ressourcen durch Teotihuacans Handelsverbindungen machte Tikal wohlhabender als je zuvor und ließ seine Wirtschaft zur stärksten in der Frühklassischen Periode der Maya aufsteigen. Gleichzeitig vergrößerte ein Bündnis mit dem mesoamerikanischen Machtzentrum auch den politischen Einfluss Tikals und machte es zum mächtigsten Staat des Tieflands und später des gesamten Maya-Territoriums. Eine starke Wirtschaft in

Verbindung mit politischer Macht führte – natürlich – zu militärischer Expansion. Einige Städte, wie das nahegelegene Uaxactun, gliederte Tikal in sein Königreich und damit unter seine direkte Kontrolle ein. Bei anderen, die weiter entfernt waren wie Copan, das sich im heutigen westlichen Honduras befindet, wurden die vorherrschenden Dynastien gestürzt und durch Herrscher ersetzt, die Tikal gegenüber loyal waren. So erlitten diese Staaten ein ähnliches Schicksal wie zuvor Tikal, das ebenfalls in einer Art Vasallenposition zu seinem Machtzentrum stand. Aber durch die Sicherung der Vorherrschaft machte sich Tikal auch zahlreiche Feinde, die sowohl gegen seine ökonomische und politische Vorherrschaft als auch gegen eine Fremdherrschaft bezüglich ihrer Regeln und Kultur waren. Aus diesem Grund formierte sich langsam eine gegen Tikal gerichtete Allianz unter der Führung von Calakmul.

Calakmul war eine Stadt im heutigen südöstlichen Mexiko nahe der Grenze zu Guatemala, 38 Kilometer nördlich von El Mirador. Ähnlich wie Tikal kontrollierte sie einen Teil der Handelsrouten, die durch das Tiefland verliefen. Auf ihrem Höhepunkt hatte die Stadt eine geschätzte Bevölkerung von fünfzig- bis hunderttausend Menschen, die auf einer Fläche von zwanzig Quadratkilometern lebten und umgeben waren von einem Netz aus Kanälen und Stauseen, die zu einem gewissen Grad als Befestigung gegen Angriffe von außen dienten. Die frühe Geschichte von Calakmul ist nicht bekannt, aber einige Hinweise haben ihren Ursprung in der Präklassischen Periode und verbinden ihre erste Herrscherdynastie mit El Mirador. Aber um 500 unserer Zeitrechnung wurde die Stadt mächtig genug, um Tikals Vorherrschaft herauszufordern und ihre Herrscher begannen, Allianzen mit Staaten einzugehen, die ihren Feind umgaben. Der größte diplomatische Erfolg bestand darin, dass es gelang, Caracol, einen ehemaligen Verbündeten Tikals, Mitte des sechsten Jahrhunderts auf ihre Seite zu ziehen. Diese Stadt war in der späten Präklassik oder frühen Klassik im heutigen Westen von Belize gegründet worden. Es gibt unter anderem Hinweise auf zentralmexikanische Einflüsse, die darauf schließen lassen, dass sie Teil des Handelsnetzes von Teotihuacan war. Zur Zeit der Auseinandersetzung mit Tikal war sie eine aufsteigende Stadt, die auf dem Höhepunkt ihrer Macht um die 100.000 bis 120.000 Einwohner hatte und sich über hundert Quadratkilometer erstreckte.

Die Konfrontation zwischen Calakmul und Tikal begann in den 530er Jahren, als es Tikals Verbündeten gelang, Calakmul zu besiegen. Aber die Niederlage war nicht vollständig, denn am Ende des Jahrzehnts erholte sich Calakmul wieder. Der wichtigste Wendepunkt kam im Jahr 553 unserer Zeitrechnung, als Lord Water (Wasserherr) von Caracol die Seiten wechselte und sich Calakmul anschloss. Obwohl es Tikal unter Wak Chan K'awiil gelang, 556 den ersten Sieg zu erzielen, reichte er nicht aus, um den Krieg zu beenden. Als Sky Witness (Himmelszeuge) um 561 zum König von Carakmul gekrönt wurde, wendete sich das Blatt. Historiker nehmen an, dass er die Niederlage Tikals durch Lord Water im Jahr 562 orchestrierte, dem es bei einem Überfall auf den Feind gelang, Wak Chan K'awiil gefangen zu nehmen. Der Herrscher Tikals wurde geopfert, aber der Krieg dauerte noch mit geringerer Intensität ein weiteres Jahrzehnt an, bevor er mit einer völligen Niederlage Tikals endete. Zum einen begann Teotihuacan in dieser Zeit, seine Macht einzubüßen. Teilweise wegen einer Dürre, aber es gibt auch Anzeichen einer militärischen Niederlage. Zum zweiten agierte Tikal während seiner Vorherrschaft in einer Weise, dass es die übrigen Maya-Staaten entfremdete, so dass es nicht auf große Unterstützung seiner Nachbarn hoffen konnte. Und schließlich scheint es Calakmul gelungen zu sein, Tikals Handel zu stören und damit seine für die Kriegsführung so wichtige materielle Macht zu schwächen.

Für Tikal bedeutete die Niederlage nicht nur den Verlust von Reichtum und Macht, sie markierte auch das Ende seiner Unabhängigkeit für etwa 130 Jahre. Seine Herrscher wurden den Königen von Calakmul unterworfen, die ihnen untersagten, Monumente und Stelen zu bauen. Der Großteil des finanziellen

Gewinns der Stadt ging als Tributzahlung an die neuen Herren und infolgedessen kam das Bevölkerungswachstum Tikals ins Stocken und hörte schließlich komplett auf. Die Zeit der Unterdrückung dieser ehemaligen Maya-Macht wird heute als der Hiatus Tikals bezeichnet, während dem es keine Weiterentwicklung der Stadt gab. Das galt nicht nur für Tikal. In Uaxactun zum Beispiel, welches unter Tikals Herrschaft stand, hörte die Bautätigkeit in dieser Zeit vollständig auf. Der Hiatus erstreckte sich auf viele Städte, die unter der Herrschaft Tikals standen. Calakmul war logischerweise der größte Gewinner und erlangte mehr und mehr politische Macht, weitete sein Herrschaftsgebiet aus und blühte ohne die Handelskonkurrenz Tikals auf. Caracol erhielt durch die Niederlage seines ehemaligen Verbündeten ebenfalls einen Schub und erlebte ein enormes Bevölkerungs-, Territorial- und Wirtschaftswachstum. Aber leider brachte dieser Krieg den Maya keinen dauerhaften Frieden in der Region.

Ohne Tikal entstand ein erhebliches politisches Machtvakuum, das Calakmul nicht allein füllen konnte. Seinen Herrschern gelang es zwar, den Sieg auszunutzen und einen enormen Profit aus dieser Lage zu erzielen, aber es gelang ihnen nicht, ihre militärische Allianz in eine dauerhafte politische Vorherrschaft über die anderen Staaten der Maya umzuwandeln. Seine Verbündeten entschieden, der Autorität Calakmuls zu widerstehen und ihre Unabhängigkeit zu behalten. Und viele Städte, darunter auch Calakmuls Verbündete, wuchsen während des Machtvakuums. Das führte dazu, dass immer mehr Maya-Staaten in der Lage waren, miteinander um politischen Einfluss und die Kontrolle des Handels zu konkurrieren. Diese politische Landschaft brachte eine lange Zeit des Krieges und der Auseinandersetzungen unter den Maya mit sich, die den Übergang von der Frühklassik zur Spätklassik markiert. Aber auch wenn die Eskalation der Auseinandersetzung ein Charakteristikum dieser Epoche war, florierte die Zivilisation der Maya. Es war eine Zeit des kulturellen Wachstums mit Fortschritten im Bereich des astronomischen Wissens und des

Kalenders, einer Verfeinerung der Kunst und sogar eines verbreiteteren Gebrauchs von Texten, was auf ein neues Niveau der Schreibfähigkeit hinweist. Der ständige Krieg behinderte das enorme Bevölkerungswachstum nicht, das seinen Höhepunkt bei etwa zehn Millionen Menschen hatte. Aber die Eliten nutzten die fortwährenden Kämpfe, um ihre Macht über die übrige Bevölkerung auszudehnen und ihre Staaten auf bis dahin nicht gekannte Größe zu erweitern. Als Teotihuacan fiel, wurden die Maya zur höchstentwickelten Zivilisation Mesoamerikas und ihre Kunst und ihr Einfluss verbreitete sich über die ganze Region.

Zu Beginn der Spätklassik im späten sechsten und frühen siebten Jahrhundert erweiterten Calakmul und Caracol ihre Machzentren weiter, indem sie andere Staaten angriffen, sie eroberten oder sie zu Vasallenstaaten machten. Es schien, als sei ihre Vorherrschaft unumstößlich. Aber die ständigen Kriege forderten ihren Tribut und ihre Machtposition war nicht länger gesichert. Als sie schwächer wurden, gelang es den Königen von Tikal einen Teil ihres Einflusses zurückzugewinnen. Während der 640er Jahre unserer Zeitrechnung besiedelte eine Seitenlinie der königlichen Familie von Tikal eine neue Stadt, Dos Pilas, als Militärbasis und Handelsposten. Sie lag 105 Kilometer südwestlich im Gebiet des Petexbatún-Sees. Wie erwartet, wollte Calakmul das nicht ohne Kampf hinnehmen, griff 659 Dos Pilas an und besiegte es wahrscheinlich ohne größere Probleme. Dem Herrscher der Stadt, B'alaj Chan K'awiil, gelang es, der Exekution zu entgehen und er wurde ein Vasall von Yuknoom dem Großen, dem König von Calakmul. In einem cleveren politischen Schachzug wiegelte Yuknoom seinen neuen Vasallen gegen seine ehemaligen Verbündeten auf und brachte damit zwei Linien der königlichen Dynastie von Tikal in direkten Konflikt miteinander. Aber auch wenn Dos Pilas über einen mächtigen Verbündeten verfügte, gelang es Tikal 672 die Kontrolle über seine ehemalige Kolonie zurückzugewinnen. Calakmul intervenierte fünf Jahre später, um B'alaj Chan K'awiil wieder auf den Thron zu setzen, und vertrieb die

Besatzungsmacht. Da es für Yuknoom den Großen offensichtlich war, dass dieser Verbündete und Vasall nicht in der Lage war Tikal allein zu bekämpfen, unterstützte er ihn 679, damit er einen entscheidenden Sieg über seine eigene Familie verbuchen konnte. Obwohl Texte in Dos Pilas über Haufen von Köpfen und Blutlachen sprechen, zeigte diese Konfrontation zwischen den alten Feinden, dass Calakmul, welcher als mächtigster Staat der Maya galt, nicht mehr unantastbar war.

Ein weiterer Schlag gegen die Vorherrschaft von Calakmul ereignete sich, als in den 680er Jahren zwei seiner Verbündeten, Caracol und Naranjo, einen Krieg gegeneinander begannen. Naranjo war eine Stadt im Norden Guatemalas, die ebenfalls sehr unter den Kämpfen anderer Staaten um die Vorherrschaft gelitten hatte. Anfangs war sie eine Verbündete von Tikal, dann wurde sie von Calakmul eingenommen und im frühen siebten Jahrhundert wechselte sie zwischen Caracol und Calakmul hin und her. Aber irgendwie gelang es Naranjo 680 die Unabhängigkeit zu erlangen und sie nutzten die Gelegenheit, um die stete Fehde mit Caracol beizulegen. Yuknoom der Große entschied sich, Caracol zu unterstützen, wahrscheinlich weil sie ehemalige Verbündete waren, und zerschlug Naranjos Widerstand. Es wurde von ihm erwartet, dass er Naranjo wieder unter seine direkte Kontrolle brachte und so verheiratete er die Tochter des Herrschers von Dos Pilas mit einem Adligen aus Naranjo, um die Dynastie in der Stadt wiederherzustellen. Historiker streiten darüber, was seine Gründe gewesen wären, aber der Zug stärkte letztendlich Naranjo und während der nächsten Jahre überfiel Naranjo Caracols Territorium. Calakmuls Kraft, seine Verbündeten und Vasallen zu kontrollieren, befand sich im Niedergang, was durch den Tod seines bedeutenden und erfolgreichen Königs, Yuknooms des Großen, im Jahr 686 noch verschärft wurde.

Tikals neuer König, Jasaw Chan K'awiil, der 682 gekrönt worden war, entschied sich, Calakmuls Schwäche auszunutzen. Zunächst festigte er seine Stellung in seiner eigenen Stadt, indem er neue Tempel und Stelen errichtete und das erste Monument mit dem Namen des Herrschers nach Tikals großer Niederlage im sechsten Jahrhundert erbaute. Er war es, der Tikal aus dem sogenannten Hiatus hinausführte. Nachdem er das Prestige seiner Dynastie wiederhergestellt hatte, griff er 695 unserer Zeitrechnung erst Naranjo an und später im selben Jahr kämpfte er direkt gegen Calakmul. Er gewann beide Schlachten und machte viele Gefangene, welche später geopfert wurden. Historiker sind nicht ganz sicher, was mit dem König Calakmuls geschah, da es lediglich vage und ungenaue Hinweise darauf gibt, dass er sich unter den Gefangenen befand, aber auch wenn es ihm gelungen sein sollte, den Händen Jasaw Chan K'awiils zu entgehen, verschwand er bald von der politischen Bühne. Auf der anderen Seite herrschte Tikals König noch für weitere vierzig Jahre, und stellte die Macht und den Status seiner Stadt vollständig wieder her. Es gelang ihm, die Vorherrschaft über die Maya-Staaten von Calakmul zurückzuerlangen, aber die Rivalität zwischen diesen Maya-„Supermächten" dauerte durch die Spätklassische Ära hindurch noch für mehr als hundert weitere Jahre an.

Auch wenn Calakmul eine schwere Niederlage erlitt, blieb Dos Pilas sein Verbündeter. Aber es war nicht länger ein unterworfener Vasall, da sein Machtzuwachs seine Unabhängigkeit sicherte. Die Erben von B'alaj Chan K'awiil, der kurz nach Yuknoom dem Großen starb, vergrößerten seinen Einfluss und seine Territorien durch Heirat und Krieg weiter. Sie gründeten das, was Historiker heute das Königreich Petexbatún nennen. Im Jahr 735 eroberten die Herrscher von Dos Pilas Seibal, die größte Stadt in ihrer Region und um 741 kontrollierte das Königreich Petexbatún viertausend Quadratkilometer. Mit dieser Expansion gewann Dos Pilas auch die Kontrolle über Handelsrouten, die ins Hochland führten, was ihm einen erheblichen wirtschaftlichen Schub verlieh. Nach diesem schnellen Erfolg war es wahrscheinlich, dass das Königreich genug wachsen würde, um in der Lage zu sein, mit Tikal und Calakmul um die Vorherrschaft zu konkurrieren, aber das Blatt wendete sich schnell. Die Stadt wurde von ihren Feinden aus dem Umkreis angegriffen, die voller Rachegelüste waren. Die Herrscher des Königreichs Petexbatún versuchten, ihre Hauptstadt durch eine rasche Befestigung zu verteidigen und opferten ihre Paläste und Monumente, um Mauern zu bauen, aber ihre Bemühungen waren vergeblich. Im Jahr 761 wurde Dos Pilas geplündert. Petexbatún gelang es weiter zu bestehen, die Hauptstadt wechselte und der Krieg ging mit solcher Heftigkeit weiter, dass ein Großteil der Region um 800 herum verlassen war, da die Menschen in sichere Gebiete abzogen. Zu dieser Zeit löste sich das Königreich Petexbatún nach ständigem Krieg und Zerstörung auf.

Einer der Faktoren, die zum Fall von Petexbatún beitrugen, war der Umstand, dass sein mächtiger Verbündeter Calakmul während der 740er Jahre eine weitere Niederlage erlitt. Der Grund für die erneute Auseinandersetzung war, dass Calakmul die Stadt Quiriguá angestachelt hatte, sich gegen Copan, einen alten Verbündeten Tikals, aufzulehnen. Der Stadt Copan war es im Laufe des siebten Jahrhunderts gelungen, ihr Ansehen zu verbessern und ihre Macht auf ein beträchtliches Gebiet im heutigen westlichen Honduras auszudehnen. Auf der Höhe seiner Macht im frühen achten Jahrhundert, verkündete sogar einer seiner Könige, dass es politisch auf der gleichen Stufe stehe wie Tikal und Calakmul aber auch mit Palenque, einer Stadt, über die wir noch später in diesem Kapitel sprechen werden. Unter der Kontrolle des mächtigen Copan befand sich die viel kleinere Stadt Quiriguá, etwa fünfzig Kilometer nördlich der Hauptstadt. Es war ein wichtiger Außenposten für Copan, da es sowohl die Kontrolle des Jadehandels als auch des fruchtbaren Tals ermöglichte. Im Jahr 736 traf sich der Herrscher von Calakmul mit dem von Quiriguá, höchstwahrscheinlich, um letzteren seiner Unterstützung bei einer Rebellion gegen Copan zu versichern, die zwei Jahre später stattfand. Mit der neuen Macht im Rücken gelang es Quiriguá, ein von seinen vorherigen Herren unabhängiger Staat zu werden, der nun mit Calakmul verbunden war. Copan verlor wirtschaftlich wichtiges Territorium und obwohl es nie von Quiriguá unterworfen wurde, begann es, Ansehen und Macht zu verlieren. Auf der anderen Seite gelang es Quiriguá, seine Macht und seinen Wohlstand zu vermehren und es wurde bis zu einem gewissen Grad mächtiger als sein Feind im Süden. Diese Art von Einmischung in die Angelegenheiten eines Verbündeten konnte Tikal nicht ungestraft geschehen lassen. Als Vergeltung griff Tikal 743 El Perú-Waka und 744 Naranjo an, die wichtigsten Verbündeten und Handelspartner Calakmuls. Dieser Verlust schwächte Calakmul weiter und es gelang ihm nie mehr, seinen früheren Ruhm wiederzugewinnen. Im Gegensatz dazu gewann Tikal einmal mehr die vollständige Kontrolle über den Ost-West-Handel durch das Tiefland und wurde erneut die unbestrittene Führungsmacht der Maya-Welt.

Wenn man für einen Moment die Auseinandersetzung zwischen Tikal und Calakmul beiseitelässt, die das zentrale politische und wirtschaftliche Problem der späten klassischen Ära der Maya-Zivilisation gewesen zu sein scheint, verdient es noch eine weitere große Stadt, Erwähnung zu finden. Dabei handelt es sich um Palenque im westlichen Tiefland im heutigen südöstlichen mexikanischen Bundesstaat Chiapas. Am Rande des Maya-Territoriums gelegen und zum größten Teil von anderen als Maya-Stämmen umgeben, gelang es Palenque den größten Teil seiner Geschichte unbeteiligt an den Kämpfen zwischen den beiden „Supermächten" der Maya zu bleiben. Es wurde Mitte des fünften Jahrhunderts unserer Zeitrechnung an einer Handelsroute gegründet, die Zentralmexiko mit der Heimat der Maya verband. Als solches gehörte es höchstwahrscheinlich zu Teotihuacans Handelsnetz und war irgendwann sicher ein Verbündeter Tikals. Das ist der einzige Grund, warum Calakmul eine Stadt angegriffen hätte, die 227 Kilometer entfernt lag. Calakmuls Machtdemonstrationen fanden 599 und 611 während Tikals Hiatus statt und stellten die einzige direkte Beteiligung Palenques am Konflikt zwischen Tikal und Calakmul dar.

Später, im siebten Jahrhundert, blühte Palenque auf und wurde ein respektabler und mächtiger Staat im Westen, der viele seiner Nachbarn angriff und eroberte. Aber zu Beginn des nächsten Jahrhunderts begann seine Macht zu wanken und in den Jahren 711 und 764 erlitt es zwei schwere Niederlangen durch einen feindlichen Staat der Region.

Es ist klar, dass Palenque keine so bedeutende Rolle in der Politik der Maya spielte, da es sich am Rande ihrer Welt befand, aber für Historiker spielt es eine große Rolle. Grund dafür ist die von ihren Einwohnern hinterlassene Kunst und Kultur. Palenque konnte sich mit seinen eleganten Tempeln und für die Zeit innovativen Gewölbetechniken einiger der architektonisch schönsten Bauten der mittleren Maya-Zivilisation rühmen. Seine Kunsthandwerker waren Meister in der Anfertigung von Stuckporträts und die Könige von Palenque hinterließen lange Texte über ihre Herrschaft. In diesen Texten beschrieben sie nicht nur die dynastische Abfolge und Kriege, sondern auch ihre Mythologie. Daher enthalten sie sehr lebendige Beispiele dafür, wie die Könige der Maya Legenden, Geschichte und religiöse Glaubensvorstellungen nutzten, um ihre Stellung und ihre Macht zu festigen. Wenn die Stadt Palenque auch kleiner, politisch schwächer und weniger bedeutend war, war sie kulturell mindestens auf dem gleichen, wenn nicht auf einem höheren Niveau als sowohl Calakmul als auch Tikal.

*Der Palast in Palenque mit dem Aquädukt zur Rechten.*
*Quelle: https://commons.wikimedia.org*

Das bedeutet natürlich nicht, dass andere Städte und Staaten der Maya kulturell nicht ebenfalls hochentwickelt waren. Die Zeit zwischen etwa 600 und 800 unserer Zeitrechnung war das goldene Zeitalter der Maya, das viele technologische und künstlerische Errungenschaften hervorbrachte. Viele große Städte wurden erbaut und die Bevölkerung blühte auf. Diese Errungenschaften sind in allen Staaten sichtbar, besonders in den reichsten. Aber am Ende des neunten Jahrhunderts begannen die größten Gemeinwesen zusammenzubrechen. Wie wir an den Beispielen von Palenque und Copan gesehen haben, rebellierten ihre früheren Vasallen gegen sie und forderten ihre Vormachtstellung heraus. Das gleiche passierte auch Tikal und Calakmul und große Königreiche der klassischen Maya begannen in kleinere Gemeinwesen zu zerfallen. Es waren die ersten Anzeichen, dass die ruhmreichen Tage der Maya sich einem Ende zuneigten. Ein Grund für den Niedergang war, dass die zentralen Dynastien schwächer wurden, während die örtlichen Eliten erstarkten, was durch die stetigen Kriege, die fast zwei Jahrhunderte andauerten, verursacht worden sein könnte. Die Kriegsführung erschöpfte den Reichtum und die Macht der Dynastien und ließ sie mehr und mehr von den Eliten abhängig werden, während diese ihrerseits viel durch die Kämpfe gewannen.

Aber der Niedergang der Maya-Staaten der klassischen Periode endete nicht einfach mit dem Verlust ihrer Territorien und früheren Vasallen. Mitte des zehnten Jahrhunderts waren die meisten von ihnen zusammengebrochen und stellten keine Machtzentren mehr dar. Einige Städte wurden vollständig verlassen, während andere sich zu kleinen Dörfern zurückentwickelten mit einer meist kleinen, Ackerbau treibenden Bevölkerung. Historiker rätselten lange, wie und warum die Zivilisation der Maya der klassischen Ära zusammenbrach und führten als Argumente Trockenheit, Überbevölkerung, Kriege und Aufstände oder Invasionen von außen an. Heute scheint es, dass alle diese Faktoren zusammengewirkt haben. Politischer Aufruhr und Kämpfe untergruben den Handel und die Dynastien verloren ihre Macht, während eine Überbevölkerung der zentralen Region in Kombination mit Trockenperioden und der Überbeanspruchung des Bodens zu Nahrungsknappheit führte. So wurde eine nach der anderen Stadt des südlichen Tieflands verlassen. Wie schon erwähnt, wurde die Region des Königreichs Petexbatún um 800 verlassen. In anderen Städten orientiert man sich zeitlich an den Inschriften auf Monumenten. Da sie klare Merkmale von Macht und Ruhm darstellen, dient das Ausbleiben von Monumenten und Inschriften als Marker für eine ungefähre Angabe des Zeitraums in der diese Städte fielen. Diese Monumente geben für Palenque das Jahr 799 an, für Calakmul 810, für Naranjo 820 und für Copan 822 an. Caracol und Tikal überlebten ein wenig länger, die letzten ihren Monumenten wurden auf die Jahre 849 und 869 datiert. Mit ihrem Niedergang endete das goldene Zeitalter, die sogenannte Spätklassik der Maya.

# Kapitel 4 – Vom Goldenen Zeitalter zum Zeitalter der Katastrophe

Der Fall der Städte im südlichen Tiefland, die die höchstentwickelten Zentren im Territorium der Maya darstellten, schien anzudeuten, dass ihre Zivilisation ebenfalls verschwand. Aber das war nicht der Fall. Ihr Zusammenbruch bedeutete nur, dass die Machtzentren sich ins nördliche Tiefland verschoben oder – um genauer zu sein – auf die Halbinsel Yucatán. In diesem Gebiet gab es viele alte Städte der Maya, von denen einige sogar bis in die präklassische Zeit zurückreichten, die vom Niedergang der Handelszentren im südlichen Tiefland profitierten. Diese Städte ergriffen rasch die Gelegenheit, wichtige Partner in den Handelsbeziehungen zwischen Mexiko und Mittelamerika zu werden. Da sie die Traditionen der klassischen Maya-Zivilisationen fortführten, die sich im Niedergang befanden, sprechen Historiker von dieser Zeit als der Postklassischen Ära. Ein weiterer Grund für den Namen ist der Umstand, dass die klassische Kultur der Maya während dieser Zeit eine Veränderung erfuhr und sich bis zur Mitte des zehnten Jahrhunderts zu einer neuen, eher pan-mesoamerikanischen Kultur entwickelt hatte. Das beste Beispiel für die gesamte Ära und ihre Veränderungen ist vielleicht die heute wahrscheinlich berühmteste Stadt der Maya Chichén Itzá.

Chichén Itzá lag im trockenen Norden der Halbinsel Yucatán, in der Nähe zweier Kalksteintrichter oder *cenotes*, was die Übersetzung des Namens „die Quellen der Itzá" erklärt. Ihr Aufstieg zur Berühmtheit begann in der Spätklassischen Periode und beruhte auf dem Handel, denn das Gebiet war nicht so fruchtbar wie das südliche Tiefland. Chichén Itzá nutzte wie viele andere Staaten in Yucatán, den Seehandel, der um die Halbinsel herumführte, als Grundlage seiner Wirtschaft. Der Seehandel hatte schon lange vor dem Ende der Klassischen Periode existiert, aber durch den politischen Aufruhr und wegbrechende Handelsrouten im südlichen Tiefland, gewann er an Bedeutung. Ein weiterer wichtiger Faktor für die Ausbreitung des Seehandels war der Aufstieg neuer Mächte in Zentralmexiko nach dem Fall von Teotihuacan. Am Ende der Spätklassik verband diese Handelsroute die Golfküste Mexikos, welche Vulkanasche, Obsidian und Jade hervorbrachte, mit Costa Rica und Panama, die reich an Kupfer, Silber und Gold waren. Dazwischen boten die nördlichen Maya Fisch, Baumwolle, Hanfseile und Honig an. Aber die wichtigste Ware Yucatáns war Salz von hoher Qualität, was zufällig die Hauptressource von Chichén Itzás Handel war. Die Stadt exportierte jährlich zwischen 3.000 und 5.000 Tonnen Salz. Noch beeindruckender ist jedoch der Umstand, dass Chichén Itzá weit entfernt von der Küste lag. Um am Handel teilzunehmen, bauten und befestigten die Herrscher der Stadt einen Hafen, der 120 Kilometer von der Hauptstadt entfernt lag. Um den Transport der Güter zu schützen, errichteten sie auf der Route von Chichén Itzá bis zum Hafen alle zwanzig Kilometer Unterzentren.

Das ehrgeizige Projekt erlaubte es der Stadt, durch ihre Handelsverbindungen mit vielen Nicht-Maya-Städten in Verbindung zu treten. Neben materiellem Gewinn kam es auch zur kulturellen Interaktion mit anderen mesoamerikanischen Zivilisationen. Durch diese Verbindung integrierten die Maya des Nordens zum Beispiel einige Aspekte des pan-mesoamerikanischen Symbolismus und seiner Motive in ihre Kunst. Sie kombinierten sie mit künstlerischen Traditionen, Architektur und Ritualen der Klassischen Periode, die sie wiederum auch in andere Teile Mesoamerikas exportierten, hauptsächlich zu ihren wichtigsten Handelspartnern in Zentralmexiko. Aus dieser Mischung entwickelte sich ein pan-mesoamerikanischer Stil, der gleichzeitig „global" als auch Maya war. Die kosmopolitische Natur Chichén Itzás erleichterte sicherlich den Handel und die Kommunikation mit Fremden und erklärt, wie es einer Stadt mit „nur" fünfzigtausend Einwohnern gelang, zum Zentrum eines Handelsnetzwerks zu werden, das fast ganz Mesoamerika umfasste. Aber die Veränderungen in den Kunststilen waren nicht die bedeutendste Veränderung der Maya-Zivilisation zu dieser Zeit. Die größte Veränderung fand im Herrscherkult statt, der langsam begann, seine Strenge zu verlieren. Nach und nach zeigten die Szenen auf den Monumenten Gruppen von Menschen bei Ritualen und Prozessionen statt des Porträts eines einzelnen Herrschers, welches in der Klassik vorherrschte. Neue Verwaltungsgebäude, die in dieser Zeit gebaut wurden, konnten große Mengen von Menschen beherbergen und die Stadien für Ballspiele wurden wichtiger, was ebenfalls den Wandel in Richtung einer pluralistischeren Gesellschaft symbolisierte. Mit dem Höhepunkt dieser Veränderungen um 950 unserer Zeitrechnung kam das Ende der Spätklassischen Periode und damit der Mittleren Maya-Zivilisationsstufe und die Postklassische Periode begann.

*Tempel der Krieger in Chichén Itzá.*
*Quelle : https://commons.wikimedia.org*

Auch wenn der Herrscherkult schwächer wurde und die Wirtschaft und der Handel die Grundlage für Chichén Itzás Macht waren, expandierte der Staat weiterhin durch Kriege und die Eroberung schwächerer Nachbarn. Im Gegensatz zur Klassischen Periode jedoch wurden diese Siege durch das neue, flexible politische System gesichert, das in der Postklassik seinen Aufschwung nahm. Aus der Konstruktion der Ratsgebäude, die in der Sprache der Mayas Popol Nah hießen, und sowohl für politische als auch für kommerzielle Aktivitäten genutzt wurden, wird klar, dass die Herrschaft über Chichén Itzá nicht allein in den Händen des Herrschers lag. Es ist wahrscheinlicher, dass er sie mit dem Rat der höchsten Adligen teilte, die sowohl aus der Hauptstadt als auch bis zu einem gewissen Grad aus anderen Orten kamen. Und es scheint, dass mit der Zeit der Einfluss des Rates wuchs, während der des Herrschers abnahm. Obwohl es vielleicht nicht einleuchtend erscheint, dass die Dezentralisierung der Macht die Stabilität des Staates förderte, war dies ein zentraler Punkt. Zunächst einmal trennte das neue System die Herrscher von Chichén Itzá von den gescheiterten Dynastien der Klassischen Ära. Des Weiteren verringerte es die politischen Unruhen, die sich üblicherweise beim Thronwechsel einstellten und reduzierte die Abhängigkeit des Staates von den individuellen Fähigkeiten des Königs. Da der König die Verantwortung für Entscheidungen mit den Adligen teilte, konnten ihre kollektiven Fähigkeiten etwaige Schwächen des Herrschers ausgleichen. Schließlich waren viele Adlige, die mit ihren Familien aus den eroberten Städten kamen, nicht nur politische Berater, sondern fungierten auch als Geiseln, was verhinderte, dass ihre Heimatstädte zu häufig revoltierten.

Aber die Stabilität des neuen Herrschaftssystems reichte nicht aus, um Chichén Itzás Überleben in der Postklassischen Ära lange zu sichern. Mitte des 11. Jahrhunderts begannen Macht und Einfluss des Staates zu schwinden und um 1100 unserer Zeitrechnung wurde die Stadt in einem Krieg zerstört, was das Ende für Chichén Itzá bedeutete. Der Ort wurde nicht vollständig verlassen, aber seine politische Stärke hatte er verloren. Historiker sind sich heute nicht sicher, was den Niedergang und Fall Chichén Itzás auslöste, denn die Hinweise sind rar. Die militärische Niederlage war nur ein Teil, da sie wahrscheinlich durch eine schon geschwächte Wirtschaft und gesunkene Macht der Stadt verursacht worden war. Momentan scheint die beste Erklärung für den Niedergang die gewesen zu sein, die auch zum Niedergang der spätklassischen Staaten führte – Trockenzeiten und Beeinträchtigung des Handels. Und wie schon zuvor handelte es sich nicht nur um den Niedergang einer oder weniger Städte, sondern die gesamte Zivilisation der Maya als auch andere Teile von Mesoamerika waren davon betroffen. Die von diesen Faktoren herbeigebrachte Störung führte, anders als zuvor, dazu, dass es etwa ein Jahrhundert lang keine vorherrschende Macht gab, was darauf hindeutet, dass die Probleme so gravierend waren, dass sie nicht so einfach wie während der Übergangsperiode nach dem Goldenen Zeitalter gelöst werden konnten. Zu der Zeit, als die neue Krise die Maya traf, waren ihre Macht und ihr Reichtum bedeutend geringer als in der Spätklassischen Ära. Aber es bedeutete nicht, dass die Maya-Zivilisation komplett zusammenbrach, es handelte sich nur eine weitere Entwicklungspause.

Als diese Pause um 1200 endete, traten die Maya in die Späte Postklassische Ära ein, die eine vollständige Abkehr von den Kennzeichen der Mittleren Maya-Zivilisation darstellte. Die deutlichste Veränderung war die Weiterentwicklung des Herrschaftssystems Chichén Itzás, welches als „multepal" bekannt wurde. Die lose Übersetzung aus der yukatekischen Maya-Sprache lautet „gemeinsame Herrschaft". Diese Art der Regierung basierte auf verschiedenen Eliten, die nicht Teil der königlichen Familie waren, und nun aktivere und anerkannte Rollen im Staat einnahmen, während der Herrscherkult beinahe erloschen war. Dieser Veränderung folgte die Dezentralisierung des Staates, die sich am Mangel an großen urbanen Zentren zeigt. Die Städte waren beträchtlich kleiner, aber besser befestigt. Und sie lagen zu dieser Zeit eher auf Berggipfeln als in den Tälern. Zudem richtete die Gesellschaft der Maya ihr Augenmerk jetzt stärker auf Unternehmertum und Profit als auf die Zurschaustellung königlicher Macht. Der Reichtum wurde weit weniger in große öffentliche Projekte gesteckt und es scheint, als seien alle Bürger direkt oder indirekt in den Handel involviert gewesen. Mit der breiteren Gewinnverteilung aus dem Handel wurden die sozialen Unterschiede zwischen den Klassen weniger ausgeprägt.

Im nördlichen Tiefland auf der Halbinsel Yucatán ist das beste und wahrscheinlich einzige Beispiel dieses Wandels die Stadt und der Staat Mayapan. Die Stadt wurde um 1185 unserer Zeitrechnung gegründet und lag rund hundert Kilometer westlich von Chichén Itzá, dessen Architekturstil sie - wenn auch in kleinerem Maßstab - nachahmte. Mayapan bedeckte nur rund 4,2 Quadratkilometer und war mit 15 - 20.000 Einwohnern beträchtlich kleiner als sein Vorbild und noch viel kleiner als die Zentren der Spätklassik, die zehn bis zwölfmal größer waren. Das zeigt, wie drastisch sich die Macht der

Mayastaaten verringert hatte. Im Gegensatz zu ihren gigantischen Vorgängern, war Mayapan jedoch viel besser befestigt, mit Mauern, die die Stadt umgaben und vier sorgsam geplanten Toren, um die bestmögliche Verteidigung gegen feindliche Angriffe zu bieten. Die Kopie Chichén Itzás und anderer früher Maya-Städte war nicht nur kleiner, sondern die Gebäude wurde auch handwerklich nicht so geschickt ausgeführt, was ebenfalls auf den Niedergang der Maya-Zivilisation hindeutet, insbesondere wenn man berücksichtigt, dass Mayapan ohne Zweifel die reichste und mächtigste Stadt der späten Postklassischen Ära war.

Mayapans Macht basierte auf dem Salzhandel, ähnlich wie im Falle von Chichén Itzá, und befand sich rund vierzig Kilometer von der Küste entfernt. Eine weitere wichtige Ressource war ein seltener Lehm, der, wenn er mit Indigo gemischt wurde, das hochbegehrte „Maya-Blau" ergab, das sogar bis zu den Azteken in Zentralmexiko exportiert wurde. Aber die Verbindung mit diesem Teil Mesoamerikas ging über den bloßen Handel hinaus. Viele adlige Häuser herrschten in Mayapan im Rahmen eines voll entwickelten *multepal* Herrschaftssystems, in dem Mitglieder jedes Hauses sowohl zivile als auch religiöse Ämter innehatten. Eines der Häuser, das als Cocom bekannt war, stammte aus Chichén Itzá und bediente sich Söldnern aus dem Aztekenreich, um die Kontrolle über die Stadt und den Staat von ihrem ursprünglichen Gründerhaus Xiu zu gewinnen. Diese Verschiebung des Gleichgewichts unter den adligen Familien ereignete sich im letzten Jahrzehnt des 13. Jahrhunderts und könnte erklären, warum spätere Herrscher von Mayapan versuchten, den Stil von Chichén Itzá zu imitieren. Das Haus Cocom machte hier nicht Halt und um ihre Vormacht in Staatsangelegenheiten zu sichern, wiesen sie einen großen Teil der besiegten Xiu-Familie um 1400 aus der Stadt. Diese Tat führte schließlich zum Fall des Staates Mayapan.

Das Territorium Mayapans war in drei Provinzen geteilt, die in einem Staat organisiert waren, der eher eine Konföderation als eine Monarchie war. Die Zentralisierung des Staates wurde dadurch sichergestellt, dass die Oberhäupter der Provinzen in der Hauptstadt lebten, was es den Herrschern erleichterte, ein Auge auf sie zu haben und sie von Rebellionen fernzuhalten. Als aber die Cocom die Xiu ins Exil schickten, schwächten sie sie nicht, sondern entließen sie weitgehend aus ihrer Kontrolle. Verbittert und angetrieben von Rachegelüsten organisierten Mitglieder der verbannten Familie 1441 eine Revolte. Die Stadt Mayapan wurde geplündert und zerstört und fast alle Mitglieder der Cocom-Dynastie wurden brutal ermordet. Schon bald danach wurde die Stadt verlassen und der letzte Zentralstaat der nördlichen Maya war gefallen. Das Territorium zerfiel in etwa 16 unbedeutende Königreiche, die höchstwahrscheinlich mit den früheren Provinzen korrespondierten und von anderen überlebenden Häusern der gesellschaftlichen Elite regiert wurden. Da die Rivalität zwischen ihnen weiterbestand, gerieten sie in einen Kreislauf fortwährender Kämpfe untereinander. Gegen Mitte des 15. Jahrhunderts war sowohl die gesamte ökonomische Macht als auch der politische Einfluss der nördlichen Maya verschwunden und die Hauptstädte der Königreiche waren im Vergleich zu Mayapan oder gar den Städten des goldenen Zeitalters unbedeutend.

*Panoramaansicht von Mayapan. Quelle: https://commons.wikimedia.org*

Aber anders als in der Klassischen Ära, als das Tiefland die einzige einflussreiche Region war, gelang es dem Hochland während der späten Postklassik der Maya-Zivilisation noch einmal stark genug zu werden, um mit seinen Brüdern im Norden zu konkurrieren. Seine Macht entstand durch die Bildung der Quiché-Konföderation (auch als K'iché bekannt), die sich im späten 14. und frühen 15. Jahrhundert unter der Herrschaft von König K'ucumatz ("Gefederte Schlange") vollzog, dem es durch eine Reihe von Kriegen und Eroberungen gelang, die Kontrolle über das zentrale guatemaltekische Hochland zu gewinnen. Seine Nachfolger erweiterten ihr Königreich weiter, das sich vom heutigen El Salvador bis in den Südosten Mexikos einschließlich der Küstenregion des Pazifik erstreckte, die sich zu dieser Zeit von dem Vulkanausbruch, der die Präklassische Periode beendete, erholt hatte. Es war einer der größten Maya-Staaten der Geschichte und umfasste 67.500 Quadratkilometer und eine Bevölkerung von etwa einer Million Maya. Dieses große Königreich wurde wie Mayapan durch das *multepal*-System regiert, was einer der Gründe dafür war, dass es so exponentiell wuchs. Aber es war wahrscheinlich auch der Grund, aus dem der Quiché-Staat am Ende des 15. Jahrhunderts so rasch wieder zusammenbrach.

Der Grund für den Zerfall des Quiché Königreichs war eine Rebellion eines der adligen Häuser des Staates um 1475. Der Erfolg dieser Rebellion ermutigte andere Verbündete und Adlige, sich ebenfalls zu erheben und zu Beginn des 16. Jahrhunderts war das Hochland nicht länger vereint. Als die Spanier kamen, befand Quiché sich bereits in einem Niedergang. Nichtsdestotrotz waren die Europäer von der Hauptstadt Utatlán beeindruckt. Sie bildete ein kleines urbanes Zentrum mit etwa 15.000 Einwohnern auf einem der Hügel des guatemaltekischen Hochlands. Die schwere Befestigung der Stadt, die bis zu einem gewissen Grad den Zitadellen des mittelalterlichen Europas ähnelte, beeindruckte die Konquistadoren am meisten. Aus ihren Berichten wird ersichtlich, dass die Spanier die Hauptstadt von Quiché wegen ihrer Befestigung als Bedrohung fürchteten. In der Zerstörung dieser sahen sie die einzige Möglichkeit, Sicherheit zu schaffen, was sie schließlich auch taten. Gleichgültig wie beeindruckend die Festung von Utatlán auch war, für Historiker ist heute die Rolle der Kultur und Zivilisation der Maya und unser heutiges Verständnis ihrer Zivilisation der wichtigere Aspekt.

Eines der Charakteristika von Quiché war, dass es als ein kulturelles Zentrum der Spätklassischen Periode der Maya-Zivilisation fungierte. Die Hauptstadt Utatlán war ein Bildungszentrum, hier wurden religiöse Bücher verfasst und historische Darstellungen niedergeschrieben, die mit sogenannten Maya-Kalenderdaten markiert waren. Eines dieser Bücher ist das berühmte Popol Vuh, das heute eine der Hauptquellen für die Mythologie der Maya darstellt. Es wurde Mitte des 16. Jahrhunderts niedergeschrieben, aber es basierte auf einer langen mündlichen Tradition der Maya. Unglücklicherweise wurden andere Bücher der Quiché meist von den Spaniern zerstört, die sie auf Grund ihrer Hieroglyphenschrift als satanisch betrachteten. Neben den geschriebenen Berichten zeigte sich die kulturelle Macht und Entwicklung von Utatlán deutlich an den öffentlichen Bauten, deren Qualität in den Städten des Nordens normalerweise nicht erreicht wurde. Der Ort umfasst vier beeindruckend verzierte Tempel, eine Arena für Ballspiele und sogar eine kleine Pyramide von 18 Metern Höhe. Einige der für Historiker interessantesten Details dieser Gebäude sind die klaren Anzeichen des Einflusses aus Zentralmexiko und dem Aztekenreich.

Wenn man bedenkt, dass die Azteken Ende des 15., Anfang des 16. Jahrhunderts die mächtigste und einflussreichste Nation Mesoamerikas waren, sollte der Einfluss der Azteken auf den Maya-Stil keine Überraschung darstellen, insbesondere wenn man sich vor Augen hält, wie schwach die Maya-Zivilisation in diesem Zeitpunkt bereits geworden war. Der Kunststil der Azteken, ihre Mode und Architektur beeinflusste alle Maya von der Pazifikküste bis ins Tiefland. Sie benutzten den aztekischen Stil, um ihre eigenen traditionellen Maya-Themen darzustellen und einige Städte versuchten sogar, die architektonischen Charakteristika der aztekischen Hauptstadt zu imitieren. Aber ihr Einfluss ging noch weiter. Die Vorherrschaft der Azteken sowohl in kultureller als auch in ökonomischer Hinsicht machte Nahuatl, die Sprache der Azteken, zur *lingua franca* Mesoamerikas. Sie war sicherlich die Hauptsprache, die unter Händlern und in den Häfen gesprochen wurde, wie Zeugnisse der Spanier belegen. Einige der Maya-Adligen lernten Nahuatl sowohl aus Prestigegründen als auch zur Verwendung in der Diplomatie. In bestimmten Gebieten war das Aztekenreich nicht damit zufrieden, mit den Einheimischen Handel zu treiben. So nutzten sie den Aufruhr im Königreich Quiché um 1500 aus und griffen die westlichen Grenzen dieser, an Kakao reichen, Region an. Die Folge dieser Angriffe waren die Tributzahlungen, die Quiché dem mächtigen Aztekenreich zu zahlen begann. Es scheint, als hätten sie etwas ähnliches mit Yucatán geplant, doch die Ankunft der Spanier vereitelte ihre Pläne.

Es dauerte nicht lange, bis den Azteken klar wurde, dass die Europäer eine ernste Bedrohung für ganz Mesoamerika darstellten, und ihr berühmter Kaiser Montezuma (oder Moctezuma) drängte die Maya zur Vereinigung gegen die neuen Eroberer von der anderen Seite des Ozeans. Es scheint, als seien die Quiché bereit gewesen, diesem Rat zu folgen, aber bevor noch konkrete Schritte unternommen werden konnten, war das Aztekenreich bereits gefallen. Da die einzige politische Macht, die in der Lage gewesen wäre, die fragmentierten Staaten der Maya gegen die Spanier zusammen zu bringen, verschwunden war, war jede Aussicht auf eine vereinigte Front verschwunden. Die erste Region, die 1524 zum Ziel der Europäer wurde, war das Hochland. Trotz dringlicher Bitten der Quiché an andere Staaten der Region, ihre Kräfte gegen die Konquistadoren zu vereinigen, waren die anderen Staaten der Maya eher daran interessiert, ihre traditionellen Feinde zu besiegen als gegen den neuen Feind zu kämpfen. Mit der Hilfe der örtlichen Maya fiel der Staat Quiché rasch. Bald wurde den übrigen Staaten klar, dass sowohl die Azteken als auch Quiché Recht damit gehabt hatten, dass die Spanier die größte Bedrohung für sie alle darstellten. Aber es war bereits zu spät und ab 1530 standen das Hochland und die Pazifikküste unter spanischer Flagge.

Es ist unklar, ob die Maya in Yucatán von den Fehlern ihrer Brüder im Hochland lernten oder ob es einfach gesunder Menschenverstand war, aber als die Konquistadoren 1527 in ihrem Territorium erschienen, kämpften sie koordiniert und vereinigt gegen die Invasoren und trieben sie zurück, auch wenn sie ein paar Schlachten verloren. Die Spanier kehrten 1530 zurück, aber trotz anfänglicher Erfolge gelang es den Maya, eine vereinigte Front gegen sie zu organisieren und 1535 war Yucatán einmal mehr frei von Europäern. Unglücklicherweise lagen die beiden größten königlichen Familien der Maya, die Xiu und die Cocom wieder einmal miteinander im Streit, als die Spanier 1541 zurückkehrten. Ohne die Möglichkeit noch einmal gemeinsam zu handeln und eine weitere Invasion der Konquistadoren zurückzuwerfen, wurden die Maya rasch besiegt. Der letzte organisierte Versuch des Widerstands ereignete sich 1546, als die Mehrzahl der Yucatán-Maya revoltierte, aber letztendlich war ihr Widerstand zwecklos. Die Spanier eroberten fast die gesamte Heimat der Maya. Einige Maya begannen aus ihren Städten in entlegene Gebiete zu fliehen und dort kleine Enklaven zu schaffen, in denen sie auf ihre angestammte Art lebten. Aber auch diese fielen nach und nach unter die Kolonialherrschaft. Mit dem Fall Tah Itzás (Tayasal), einer Stadt im Norden Guatemalas, im Jahr 1697 endete schließlich die präkolumbianische Maya-Zivilisation.

Die spanische Eroberung der Maya-Region war in jeder Hinsicht ein katastrophales Ereignis für die Maya. Das tragischste Ergebnis war der Tod von nahezu neunzig Prozent der gesamten Maya-Bevölkerung. Teilweise durch Krieg und Versklavung herbeigeführt, wurden die meisten Maya Opfer von Krankheiten, die die Europäer einschleppten. Historiker sehen dies als den Hauptgrund für einen solch einfachen Sieg über die Azteken und die Maya, denn die Krankheiten schwächten die Mesoamerikaner. Aber die Katastrophe für die Maya endete nicht hier. Die katholischen spanischen Missionare erachteten die Maya-Kultur und Religion als heidnisch und böse und zwangen die Maya zu konvertieren, verbrannten ihre

Bücher und zerstörten ihre Monumente. Die ernsten Konsequenzen dieser Vorgehensweise führten zu einer massiven, kulturellen Störung und sogar dazu, dass einige Maya sich weigerten, Kinder zur Welt zu bringen. Das brutale, fast apokalyptische Ende der Maya-Zivilisation führte dazu, dass sie eine lange Zeit verloren und vergessen blieben. Nichtsdestotrotz haben die Maya bis zum heutigen Tag überlebt.

# Kapitel 5 – Die Regierung und Gesellschaft der Maya

Wie in den vorherigen Kapiteln dargelegt, waren die Maya niemals in der Lage, ihre gesamte Ethnie in einem einzigen gemeinsamen Reich zu vereinigen und blieben über viele größere und kleinere Staaten verteilt. Lediglich durch ihre Ideologie und Glaubensvorstellungen, Religion und Kultur bildeten sie eine relativ homogene Gruppe. Der beste Vergleich aus der „Alten Welt" sind die antiken Griechen, die ein ähnliches Schicksal erlitten. Trotzdem litten die Maya unter der Engstirnigkeit und den Vorurteilen von Historikern, die nicht glauben konnten, dass „Wilde", wie die Konquistadoren sie sahen, eine Zivilisation begründen konnten, die der der „Vorväter der westlichen Zivilisation" gleichkam oder auch nur mit ihr verglichen werden konnte. Aus diesem Grund glaubte ein großer Teil der Historiker des zwanzigsten Jahrhunderts, dass die Maya nicht in der Lage gewesen seien, komplexere Regierungsformen auszubilden. Die vorherrschende Theorie war, dass die Welt der Maya in kleine Stammesfürstentümer zerfiel mit einer einfachen Zweiteilung der Gesellschaft. Sobald die Historiker jedoch mehr Material zusammengetragen hatten, wurde ihnen klar, dass sie falsch gelegen hatten.

Als Archäologen weitere Stätten der Maya untersuchten, fanden sie öffentliche Bauprojekte von Bewässerungskanälen bis hin zu großen Palästen. Die detailliertere Kartierung einiger größerer Grabungsstätten zeigte den Wissenschaftlern außerdem, dass die Orte dichter besiedelt waren als zuvor angenommen. Als schließlich die Schrift der Maya entschlüsselt worden war und sich eine komplexe Hierarchie zwischen den Städten zeigte, wurde unzweifelhaft klar, dass die Gesellschaft und die Politik der Maya am Ende der späten Präklassischen Periode so komplex waren, dass sie sich in präindustrielle Staaten verwandelt hatten. Die gleichen Befunde widerlegten eine weitere falsche Vorstellung über die Maya-Stätten, die lange nur als zeremonielle Mittelpunkte und Marktzentren von Stammesfürstentümer gegolten hatten. Archäologen kamen zu diesem Schluss, da sie nur die Daten und astronomischen Informationen der Inschriften zur Verfügung hatten und weil das Straßennetz und die Bevölkerungsdichte nicht so groß schienen wie in europäischen Städten des Industriezeitalters. Aber als sie ihren Fokus von den großen und im Wesentlichen intakten Tempeln abwandten, fanden sie Überreste vieler kleinerer Häuser unter der Vegetation. Nach genauer Untersuchung stellte sich heraus, dass mehr als 80 Prozent dieser Bauten Wohngebäude gewesen waren. Diese Erkenntnis in Kombination mit den entschlüsselten Texten zeigte die ganze Komplexität der Geschichte der Maya und widerlegte die Theorie von den zeremoniellen Zentren. Die vermeintlichen Siedlungen waren in der Tat Städte. Wenigstens zwanzig von ihnen hatten während des Goldenen Zeitalters der Klassischen Ära eine Bevölkerungszahl von über fünfzigtausend Einwohnern verbucht.

Aber schon vor den ruhmreichen Tagen der Spätklassischen Ära, während der letzten Jahrhunderte der Präklassik, gelang es den Maya, sich von einfachen Stammesfürstentümern zu Staaten zu entwickeln. Das charakteristische Merkmal von Stammesfürstentümern war eine Teilung der Gesellschaft in zwei Klassen: Eliten und Bürger, mit einem Schamanen-Herrscher, der über allen stand. Als sich ihre

Macht ausbreitete, wuchs auch das Gebiet, das die Stammesfürstentümer beherrschten und es entwickelte sich eine dreigliedrige Hierarchie von Siedlungen in den größeren Gemeinwesen. Damit bildete sich langsam eine neue Mittelschicht heraus. In Kombination mit einer zunehmenden Stärke des Herrscherkultes lag die Annahme für Historiker nahe zu behaupten, dass sich die Gemeinwesen der Maya in der späten Präklassik zu frühen archaischen Staaten entwickelt hatten. Die Zunahme der Komplexität der Maya-Gesellschaft setzte sich in späteren Zeiten fort und erreichte ihre Grenzen in der Spätklassischen Ära, als die Staaten eine fünfteilige Hierarchie unter den Siedlungen ausbildeten. An der Spitze stand die Hauptstadt gefolgt von Sekundärzentren, danach kleinere Städte und am Schluss Dörfer und Weiler. Einige der kleineren Orte begannen, sich auf bestimmten Bereichen zu spezialisieren, wie z.B. dem Handel, der Steinproduktion oder dem Kunsthandwerk. Beides fand seinen Widerhall in der sozialen Struktur der Maya-Gesellschaft, die sie bis zu dieser Zeit sowohl horizontal als auch vertikal aufgespalten hatte.

*Gemälde eines Maya-Schreibers. Quelle: https://commons.wikimedia.org*

An der Spitze der sozialen Struktur stand unzweifelhaft der König – das Thema „Herrscherkult" wird noch später in diesem Kapitel behandelt, da es sich um ein komplexes Thema handelt, das mehr als nur ein paar Sätze zur Erklärung benötigt. Unter dem Monarchen stand die Elite, die etwa zehn Prozent der gesamten Bevölkerung ausmachte. Die Position innerhalb dieser Klasse wurde sowohl durch Reichtum als auch durch Abstammung bestimmt. Für Nicht-Adlige war es nicht einfach, die soziale Leiter hinaufzuklettern, um in diese Klasse zu gelangen. Die Adligen wurden manchmal auch "itz'at winik" genannt, was sich grob mit „weise Menschen" übersetzen lässt und sich vermutlich auf ihre bessere Bildung und die Fähigkeit des Lesens und Schreibens bezog. Viele Angehörige dieser Klasse hatten wichtige Positionen in der Gesellschaft inne z.B. als Hohepriester, als Verwalter der Sekundärzentren, Schreiber und in manchen Fällen sogar Künstler. Unter der Elite stand die Mittelschicht, die keine wie zuvor gedachte, homogene Gruppe darstellte. In dieser Gruppe gab es Unterschiede basierend auf Reichtum und sozialem Rang. Sie bestand aus einfachen Priestern und Regierungsbeamten, Berufssoldaten, Kaufleuten und Künstlern. Es ist aber wichtig festzuhalten, dass die Trennlinie zwischen diesen beiden Klassen oft verwischt war. Einige Angehörige der Elite waren ebenfalls Kaufleute und Krieger, während es in einigen Fällen auch Mitgliedern der Mittelschicht gelang, hohe Ämter zu bekleiden. Und in einigen Fällen waren Mitglieder der Mittelschicht genauso reich wie die Eliten, während es auch Beispiele für verarmte Mitglieder der Elite gab. Mehr als Beschäftigung und Reichtum scheint jedoch die Familie und die Abstammung das primäre Unterscheidungsmerkmal für die Maya gewesen zu sein.

Unter diesen Gruppen standen die einfachen Bürger, die im Gegensatz zu den ersten beiden nur selten in der Kunst auftauchten und niemals in Texten erwähnt wurden. Dennoch stellten sie die große Mehrheit, die Basis der Maya-Gesellschaft dar. Die meisten von ihnen waren Bauern, Arbeiter, ungelernte Handwerker und

Bedienstete. Sie lebten im Vergleich zu den höheren Klassen in relativer Armut in Dörfern und den Außenbezirken der Städte. Als aber Archäologen ein Dorf ausgruben, das um 600 unserer Zeitrechnung von einem Vulkanausbruch verschüttet worden war, entdeckten sie, dass auch die einfachen Bürger annehmbare Lebensumstände hatten. Wissenschaftler fanden heraus, dass die Lebensbedingungen sogar besser als die der salvadorianischen Arbeiter im 20. Jahrhundert waren, die bei der Ausgrabung halfen. Bauern, die das Rückgrat der Gesellschaft darstellten, arbeiteten üblicherweise auf dem Land der Familie, aber eine Anzahl landloser Bauern arbeitete auf den Gütern des Adels und wurde mit dem Land vererbt. Die niederste Klasse der Maya-Gesellschaft bestand aus Sklaven, die nicht sehr zahlreich waren. Die meisten von ihnen waren einfache Bürger, die im Krieg gefangen genommen worden waren, und von der Elite als Arbeitskräfte benutzt wurden, während adlige Kriegsgefangene oft geopfert wurden. In einigen Fällen wurden auch Diebe versklavt, so dass sie zurückzahlen konnten, was sie gestohlen hatten. Interessanterweise und im Gegensatz zu den meisten anderen Gesellschaften betrachteten die Maya die Kinder von Sklaven nicht als Sklaven. Diese Kinder erhielten die Möglichkeit, ihr Leben nach ihren eigenen Fähigkeiten zu leben und mussten nicht für die „Fehler" ihrer Eltern bezahlen.

Die soziale Struktur begann sich im Übergang von der Spätklassischen zur Postklassischen Ära zu verändern. Mit der Entwicklung des *multepal*-Systems verloren die Herrscher an Macht und Adlige waren in manchen Fällen sogar in der Lage, eine Konkurrenz für die königliche Dynastie darzustellen. Die Verflachung der vertikalen sozialen Hierarchie setzte sich nach unten fort, denn die Güter, die zuvor nur für die Eliten erreichbar gewesen waren, wie Muscheln, Obsidian und Keramik fanden größere Verbreitung und wurden auch für die einfachen Bürger erschwinglich. Die Unterschiede im Reichtum zwischen diesen Klassen verringerten sich. In einigen Fällen kann man sagen, dass die Mittelschicht verschwunden war. Dies hätte passieren können, wenn die einzige Unterscheidung zwischen der Elite und der Nicht-Elite die Abstammung und das Wissen über die religiösen Rituale gewesen wäre. Aber zur gleichen Zeit schien die horizontale Struktur zu wachsen. Mit dem Aufkommen des *multepal*-Systems wurde der bürokratische Apparat sowohl größer als auch komplexer. Die Zahl der Regierungsangestellten wurde größer als je zuvor und verfügte über komplizierte hierarchische Abstufungen. Wichtigere und höhere Ränge waren den Mitgliedern der Elite vorbehalten und in der Regel erblich. Niedrigere Ränge standen den einfachen Bürgern offen, die für eine gewisse Amtszeit eingesetzt wurden.

Nachdem klargeworden war, dass die Maya Staaten entwickelt hatten und ihre Gesellschaft komplexer war als zuvor angenommen, debattierten Historiker als nächstes über die Natur dieser Staaten. Eine Theorie war, dass die Gemeinwesen der Maya tatsächlich Stadtstaaten waren, die nur ihre unmittelbare Umgebung bis zu einem Umkreis von etwa zwanzig Kilometern kontrollierten. Diese Theorie basiert auf der Schätzung, welche Strecke die Maya an einem Tag zu Fuß zurücklegen konnten. Dies lässt wiederrum Rückschlüsse auf die Effizienz der Kommunikation, den Transport und die Kontrolle schließen, den die Hauptstadt auf das Herrschaftsgebiet ausüben konnte. Nach dieser Theorie, ungeachtet der Größe der Hauptstadt, wäre sie nicht in der Lage gewesen, ein größeres Gebiet zu kontrollieren. Demgegenüber steht die Theorie des Regionalstaates, die argumentiert, dass die Hauptstädte der Maya die Grenzen ihrer Kontrolle über Sekundärzentren bestimmten. Diese Sekundärzentren lagen nah genug an den Hauptstädten, um ausreichende Kontrolle ausüben zu können. Dadurch würden die Sekundärzentren die Machtreichweite um mindestens weitere 20 Kilometer oder mehr erweitern, wenn wir ein weiteres Sekundärzentrum hinzudenken, das seinerseits die Reichweite auf weitere Sekundär- oder Tertiärstädte erweiterte. Diese Theorie passt sehr genau auf die Sekundärzentren Chichén Itzás, die die Strecke zu ihrem Hafen bewachten. Wenn man jedoch alle Erkenntnisse bedenkt, stimmen beide Theorien nicht mit den gegenwärtigen archäologischen Befunden überein.

Das Problem wird dadurch verschärft, dass die beiden Theorien einander entgegengesetzt sind. Am besten lassen sich die Unterschiede der beiden Theorien an den spätklassischen Staaten um 790 unserer Zeitrechnung veranschaulichen. Sechzig Ausgrabungsstätten erfüllen die Kriterien der Stadtstaatentheorie, aber nur auf acht trifft die Theorie der Regionalstaaten zu. Das Problem liegt darin, dass es Beweise für signifikante Verbindungen und Interaktionen zwischen den Staaten gibt, die das Modell der Regionalstaaten stützen. Aber zur gleichen Zeit sprechen Kriegsführung, politische Instabilität und Zusammenstöße zwischen Städten, die vermeintlich von einer Hauptstadt kontrolliert wurden, für die Theorie der Stadtstaaten. In einem Versuch, die Kluft zwischen den beiden Theorien zu überbrücken, haben Historiker die sogenannten „Superstaaten"-Theorie entwickelt. Nach dieser Theorie konnte die Macht eines einzigen Maya-Staates so groß werden, dass es ihm gelang eine Vorherrschaft über ein großes Gebiet herzustellen, aber anstatt dieses Gebiet direkt zu regieren, hatten diese politischen Formationen eher die Gesalt einer Vasallenkonföderation, in der kleinere autonome Staaten Tribut an die Hauptstadt zahlten.

Nicht in jedem Fall wurde dieses Vasallentum durch militärische Eroberung oder Drohungen erzwungen. In einigen Fällen gewannen kleinere Staaten an Ansehen, wenn sie zu Verbündeten der Hauptmacht wurden. So wurden sie aus freien Stücken zu Teilen dieser Superstaaten. Dynastische Heiraten und Handelsnetzwerke stärkten die Verbindungen zwischen den Staaten. Aber natürlich eroberten Supermächte manchmal auch schwächere Staaten und setzten dort loyale Herrscher ein. Diese Konföderationssuperstaaten existierten so lange, wie die zentralen Staaten mächtig genug waren, um sie aufrechtzuerhalten. Beim ersten Anzeichen von Schwäche, begannen sie zu zerbröckeln. Aber genauso schnell baute sich der Superstaat wieder auf, wenn die Macht des zentralen Staates wiederhergestellt war. Diese Theorie ist noch in der Entwicklung, aber sie scheint die beste Erklärung für die Politik von Tikal und Calakmul in der Spätklassik zu sein. Sie versöhnt die Tatsache, dass Einfluss und Kontrolle jener Maya-Supermächte der Klassik weit reichten, mit dem Umstand, dass die Heimat der Maya mit unabhängigen Staaten übersät gewesen zu sein scheint. Für die Theorie spricht weiterhin, dass diese Art der Herrschaft für Mesoamerika typisch schien, denn sie ähnelt auch der Art und Weise, wie das Aztekenreich organisiert war. Der einzige Grund, der Historiker zurückhält Calakmul und Tikal in den Rang eines Reiches zu erheben, liegt in dem Umstand begründet, dass ihre Reichweite niemals über das Siedlungsgebiet der Maya hinausging.

Trotz der Ungewissheit über die Größe und die Beschaffenheit der Maya-Staaten, sind sich Historiker jedoch einer Sache sicher. Die Staaten der Maya wurden von Monarchen regiert. Das geschah seit den frühen Zeiten der Maya-Zivilisation, als die ersten einzelnen Herrscher mächtig genug wurden, um Monumente und Inschriften zu hinterlassen. In dieser frühen Epoche benutzten die Monarchen den Titel „ajaw", was wir heute mit „König" oder „Herr" übersetzen. In der Mittleren Maya-Zivilisation begannen die Herrscher sich selbst „k'uhul ajaw" (etwa göttlicher oder heiliger König / Herr) zu nennen, um ihre größere Macht und höhere Position in der sozialen Hierarchie der Gesellschaft zu betonen. Für einige Herrscher Tikals war das nicht genug, so dass sie auch den Begriff „kaloomte" gebrauchten, ein wenig verbreiterter Titel, welcher heute mit Oberster König übersetzt wird. Interessanterweise verwendeten die Herrscher, die von ihren mächtigeren Nachbarn unterworfen worden waren, immer noch den Titel „k'uhul ajaw", aber sie fügten hinzu, dass sie ein „yajaw" oder Vasall eines anderen Königs waren. Aber ungeachtet dessen, welchen Titel sie trugen, eine Tatsache blieb fast während der gesamten Maya-Geschichte unverändert. Die Basis seiner Kontrolle über seine Untertanen lag in seiner ökonomischen Vormachtstellung und seiner religiösen Bedeutung.

*Stele des 13. Ajaw der Copán Dynastie.*
*Quelle: https://commons.wikimedia.org*

Die religiöse Autorität der Maya-Herrscher hat ihre Wurzeln in der Ära der Stammesfürstentümer. Häuptlinge waren gleichzeitig Schamanen und in der Lage, mit vergöttlichten Vorfahren und den Göttern zu kommunizieren. Aber als die Gesellschaft komplexer wurde und die Macht der Herrscher wuchs, begannen die Könige zu behaupten, direkte Nachfahren der Götter zu sein, ähnlich den Pharaonen des Alten Ägyptens. So wurde ein Herrscherkult geschaffen, in welchem Könige selbst als göttlich verehrt wurden. Das wird aus dem Titel „k'uhul ajaw" deutlich. Mit der religiösen Autorität im Rücken gewannen sie an Bedeutung für die Durchführung von bestimmten religiösen Ritualen und Zeremonien, die für das Wohl des gesamten Staates abgehalten wurden. Aber die theokratische Macht war nicht genug, um ihre Vormachtstellung in der Gesellschaft zu zementieren. Die königlichen Dynastien waren auch die reichsten

Familien und ihre Macht basierte auf der Kontrolle wichtiger Ressourcen. Dabei handelte es sich manchmal um Wasser oder Nahrung, in anderen Fällen vielleicht um Obsidian oder andere wertvolle Exportgüter. Durch die Kontrolle über jene Ressourcen erzielten die Herrscher genug Reichtum, um jene zu belohnen, die gehorchten, und auch um öffentliche Bauten oder andere Zeugnisse ihrer Macht und ihres Reichtums zu errichten. Gleichzeitig veranstalteten die Herrscher Staatsfeste, mit denen sie demonstrierten, dass sie in der Lage waren, für die gesamte Bevölkerung, nicht nur die königliche Familie, zu sorgen. Natürlich waren diese Ausgaben und die ökonomische Vormachtstellung umso leichter aufrechtzuerhalten, als praktisch die gesamte Bevölkerung Tribute an den Herrscher zahlte. Von den Tributen waren möglicherweise nur die höchsten Adligen und die Mitglieder der königlichen Familie ausgenommen. Obwohl die ökonomische und religiöse Autorität eine starke Basis für eine absolute Herrschaft bildete, handelte es sich um ein zweischneidiges Schwert.

Wenn der Herrscher kompetent war und ein bisschen Glück hatte, stand seine Autorität nicht in Frage. Aber wenn er eine Schlacht verlor, Handelsrouten unterbrochen wurden oder die Ernte schlecht ausfiel, wurde das als schlechtes Omen gewertet. Es bedeutete, dass der König die Gunst der Götter verloren hatte. Sowohl seine religiöse als auch seine ökonomische Macht waren erschüttert. Solche Katastrophen konnten Dynastien stürzen und ganze Staaten zermalmen. Wenn wir diesen Umstand im Blick behalten, wird klarer, warum viele Vasallen nach einer Niederlage im Kampf oder einem anderen Zeichen von Schwäche die Seiten wechselten oder ihre Unabhängigkeit erklärten. Aus diesem Grund versuchten die Maya oft, den feindlichen König gefangen zu nehmen und zu opfern. Es war das ultimative Zeichen von Schwäche, das einem Staat in einigen Fällen einen derart religiösen und politischen Schlag versetzte, dass er sich nicht mehr vollständig von ihm erholte. Andererseits bedeuteten lange und erfolgreiche Herrschaftszeiten wie die von

Yuknoom dem Großen, dass der König die Gunst der Götter besaß und mit der Zeit immer mehr Verbündete anzog. Wenn man all das in Betracht zieht, scheint es, dass die Autorität der Maya-Herrscher zu großen Teilen auf dessen individuellem Charisma und seinen Fähigkeiten beruhte. Ein Herrscher musste ein siegreicher General sein, ein erfolgreicher Diplomat und ein vom Glück beschienener, religiöser Führer. Aber wie wir gesehen haben, bedeuteten Familie und Abstammung den Maya viel. Dies war noch wichtiger für die *ajaws* und ihre dynastischen Verbindungen.

Die Dynastien waren in der Welt der Maya äußerst wichtig, insbesondere in der Klassischen Ära. Als entscheidende Faktoren bezeugten die Dynastien dem Herrscher eine göttliche Natur. Ohne Verbindung zu einem vergöttlichten Vorfahren, waren die Könige nicht heilig. Das war einer der Gründe, warum die Maya so präzise Berichte über ihre Herrscher führten und den Gründungsherrscher einer Stadt immer besonders wertschätzten. Diese Verbindung verlieh seinen Nachfolgern Legitimität. Eine andere Bedeutungsdimension der Dynastien in der Gesellschaft der Maya stammt aus der Tradition, ihre Vorfahren anzubeten. Die königlichen Familien verfügten dahingehend über die mächtigsten und wichtigsten Vorfahren. Gegen ihre Erben, die neuen Herrscher zu agieren, könnte die mächtigen Vorväter verärgern und Unheil bringen. Dynastische Verbindungen waren jedoch nicht nur durch Geburt erreichbar. Wie im mittelalterlichen Europa konnten sie auch durch Heirat geschaffen werden. Ein kleinerer Staat und seine Dynastie konnten an Ansehen gewinnen, wenn die Braut eines Königs aus einer starken und geachteten Familie stammte. Das half nicht nur in der Außenpolitik, sondern stärkte auch die Autorität des Herrschers nach innen. Ein gutes Beispiel dafür ist die schon erwähnte Heirat zwischen einem Adligen aus Naranjo und einer Prinzessin aus Dos Pilas. Ihr Stammbaum erhöhte den Adligen und seine Erben zu Mitgliedern der königlichen Familie.

Obwohl dies ein Beispiel dafür ist, wie wichtig Frauen in der Politik der Maya werden konnten, war dies nicht ihr einziges Machtmittel. Die Dynastien der Maya waren patrilineal, aber in Fällen in denen die männliche Linie, vom Vater auf den Sohn, unterbrochen war, konnten sie matrilineal weitergeführt werden. Auf diese Weise erhielt der Staat die königliche Familie und die Verbindung zum Gründerkönig durch das Blut der Königin oder Prinzessin aufrecht, die in diesem Fall zur Herrscherin wurde. Bisher haben Historiker nur fünf Beispiele dafür gefunden, aber es könnte weitere geben. An diesen Beispielen erkennen wir zwei unterschiedliche Arten von Herrscherinnen. Die einen herrschten kurzzeitig als Regenten ihrer Söhne, was in allen Dynastien der Welt üblich war. Eine von ihnen war die bereits erwähnte Prinzessin aus Dos Pilas, die nach Naranjo ging. Ihr Name war Wac-Chanil-Ahau oder auch Sechs-Himmel. Obwohl sie wahrscheinlich nie gekrönt wurde, herrschte sie unzweifelhaft am Ende des siebten und zu Beginn des achten Jahrhunderts über die Stadt. Sechs-Himmel übernahm religiöse Funktionen und engagierte sich in der Diplomatie. Einige Monumente zeigen sie sogar als Krieger-Königin, wahrscheinlich weil Naranjo unter ihrer Herrschaft einige sehr beeindruckende militärische Siege errang. Aber eine der Königinnen, Yohl Ik'nal von Palenque, regierte mit den vollen Titeln eines Königs, als ob sie ein männlicher Erbe der Dynastie sei. Sie herrschte von 583 bis 604 unserer Zeitrechnung. Über ihre Herrschaft ist nicht viel bekannt, aber sie hielt die direkte Abstammung der künftigen Herrscher mit dem Gründer Palenques aufrecht. Das war eine wichtige Flexibilität, die dem Thron der Maya-Staaten weitere Stabilität verlieh.

Aber gleichgültig, wie flexible die Maya-Dynastien waren, keine von ihnen dauerte ewig. Einige starben auf natürliche Weise aus, andere wurden durch Gewalt unterbrochen. Einige wurden von Außenseitern entthront, einige von ihren eigenen Adligen. Es wäre dann folgerichtig anzunehmen, dass mit dem Ende einer Dynastie auch die Verbindung zum Gründungskönig und den Vorfahren unterbrochen würde, insbesondere, wenn der neue Monarch von außerhalb kam und vom König eines anderen Staates eingesetzt worden war. Doch das war nicht der Fall. Alle Herrscher einer Stadt beanspruchten für sich, dass sie vom heiligen Gründer abstammten. Diese Art von königlichem Kontinuum wird durch den Umstand hervorgehoben, dass die Maya ihre Herrscher beginnend mit dem Gründer durchnummerierten. Ein bereits ausgeführtes Beispiel dafür ist die Übernahme Tikals im Jahr 378. Als Yax Nuun Ayiin zum König gekrönt wurde, wurde er als der 15. Nachfolger von Yax Ebh Xook, dem Gründer der Stadt, bezeichnet. Und er versuchte nicht einmal, sich selbst als legitimen Anwärter auf den Thron zu präsentieren.

Der Titel des *k'uhul ajaw* konnte seinem Träger und seinen Nachfolgern also seine eigene Autorität und Macht verleihen, da die Verbindung zum Gründungsvater eher symbolisch als real war. Was aber sicher real war, war die Macht des Königs, die auf dem Höhepunkt des Herrscherkultes unbestritten war. Aber selbst der mächtigste und fähigste Monarch konnte den Staat nicht allein regieren, insbesondere Staaten, die so groß wie Tikal und Calakmul waren. Aus diesem Grund ist es nicht überraschend, dass Adlige dem Herrscher in hochrangigen Ämtern dienten. Schon der Titel „sajal", der den hohen Beamten verliehen wurde, deutet darauf hin, denn seine wörtliche Übersetzung lautet „adlig". Es gab auch die Position des „baah sajal" oder Obersten Adligen, der wahrscheinlich für verschiedene *sajal* verantwortlich war und dem König direkt Bericht erstattete. Natürlich gab es noch mehr Titel für die Elite, wie „ah tz'ihb" oder „Königlicher Schreiber". Einige Funktionen am Hof wie „yajaw k'ahk" oder „Herr des Feuers" sind aber noch immer ein Geheimnis für Historiker. Nichtsdestotrotz zeigt es, dass die Maya-Herrscher auf die Hilfe ihrer Oberschicht angewiesen waren, um ihre wachsenden Staaten wirksam zu verwalten. Das diente gleichzeitig dazu, die Adligen an ihre Herrschaft zu binden, da die Titel auch Gouverneuren von Sekundär- und Tertiärstätten verliehen wurden.

Diese Art, die Loyalität der Adligen zu „kaufen" und zu bestätigen, funktionierte so lange, wie die Könige erfolgreich waren. Das politische Manöver ging jedoch für die Herrscher der Spätklassischen und Postklassischen Ära nach hinten los, als der Herrscherkult langsam ausstarb. Die Machtfülle der Adligen wurde zu groß, um sie noch zu kontrollieren, und die Elite war über das Ergebnis der Herrschaft der Monarchen unglücklich. Schließlich fingen sie an, die Autorität ihrer Herrscher einzuschränken. Ein Beispiel dafür ist die Schaffung des Hauses des Rates, als Popol Nah bekannt. Die Maya-Könige konnten nicht mehr absolut regieren, sie mussten sich vor dem Rat der Adligen verantworten. Gleichzeitig kamen die Adligen in die Lage, ihre Herrscher zu beraten und die Staatsangelegenheiten mehr nach ihrem Geschmack zu lenken. Ein Beispiel für diese Monarchie mit einem Rat von Adligen findet sich in Copan im neunten Jahrhundert. Archäologen fanden dort ein Popol Nah, das mit Glyphen dekoriert war, welche verschiedenen adligen Stammbäumen zugeordnet werden konnten. Das zeigt, dass das Gebäude nicht nur für den Herrscher und die königliche Familie bestimmt war. Heute nehmen Historiker an, dass es während der Spätklassischen Ära Spannungen zwischen den königlichen und den adligen Familien gab, wenn nicht sogar einen offenen Machtkampf. Der Mangel an Quellen lässt jedoch kein genaueres Bild zu.

Eindeutiger ist jedoch die Tatsache, dass der Herrscherkult in der Postklassischen Ära immer häufiger abgeschafft wurde und das System der Adelsräte sich zum *multepal*-System entwickelte. In der Theorie handelte es sich dabei um die gemeinsame Herrschaft mehrerer adliger Häuser, die nicht unbedingt aus der Hauptstadt stammen mussten. Das oligarchische System funktionierte jedoch fast nie wie beabsichtigt. Die Schwächen zeigen sich am besten am Beispiel von Mayapan. Dieser Staat basierte mit Sicherheit auf dem *multepal* System, in dem verschiedene adlige Häuser gemeinsam regierten und die Regierungsämter unter sich aufteilten. Nach kurzer Zeit wurde jedoch klar, dass ein Adelsgeschlecht, die Cocom, stärker als die übrigen geworden war, da sein Oberhaupt die Rolle des Königs einnahm. So hielt er etwa Repräsentanten anderer adliger Familien als Geiseln in der Hauptstadt. Obwohl seine Herrschaft nicht so absolut war wie die Herrschaft der Könige in der Klassischen Ära, war es somit auch keine richtige *multepal* Herrschaft mehr. Aber die Maya verwarfen die Idee der gemeinsamen Herrschaft nicht. Nachdem Mayapan zusammengebrochen war, entstanden viele kleinere Staaten. Die meisten von ihnen wurden von Königen regiert, die jetzt den Titel des „halach uinic", des „wahren Mannes" trugen, der durch einflussreiche Räte unterstützt wurde. Der Titel selbst ist ein weiterer Beweis des angeschlagenen Herrscherkultes. Aber noch faszinierender sind eine Reihe von kleineren Staaten, deren Texte gar keine *halach uinic* erwähnen, sondern nur Räte. Diese scheinen Beispiele für ein existierendes und funktionierendes *multepal* System gewesen zu sein. Leider wurde eine weitere Entwicklung dieser Regierungsform und die Vorstellung einer geteilten Herrschaft durch die spanische Eroberung abrupt beendet.

Bisher wurde das Thema der Regierung nur auf der höchsten Staatsebene, dem Herrscher und den Adelsräten, behandelt und konzentrierte sich im Wesentlichen auf die Hauptstadt. Das ist nur verständlich, da es sich bei diesen um die wichtigsten Faktoren der Regierung handelte, aber auch weil die niederen Ämter des Regierungssystems in den Texten der Maya nicht erwähnt werden. Der Mangel an Quellen wird ein wenig durch die archäologischen Funde von Cerén gemildert, einer Stadt aus der Klassischen Ära im westlichen El Salvador. Um das Jahr 600 unserer Zeitrechnung wurde das kleine Dorf mit einer Bevölkerung von etwa 200 Menschen von der Asche eines Vulkanausbruchs bedeckt. Archäologen entdeckten, dass im größten Gebäude mit den dicksten Wänden keine der üblichen Haushaltsgegenstände zu finden waren, dafür war es mit zwei Bänken an den Seitenwänden und einem großen Topf in der Nähe der einen Seitenwand ausgestattet. Die Innenwände wiesen Zeichen von Dekoration in der Form von Punkten und Linien auf. All das veranlasste die Forscher anzunehmen, dass es sich um ein öffentliches Gebäude handelte, das wahrscheinlich für die lokale Regierung und für Gemeindeversammlungen genutzt wurde. Die Dorfältesten und Anführer fanden sich auf den Bänken zusammen, um die örtlichen Angelegenheiten zu diskutieren, Entscheidungen zu treffen und Streitigkeiten in der Gemeinde zu regeln. Ein Getränk, das aus dem großen Topf geschöpft wurde, diente möglicherweise dem zeremoniellen Zweck, die Verhandlungen des Gemeinderates zu besiegeln. Die Archäologen nehmen weiter an, dass dieser Gemeindesaal dazu diente, die Anordnungen aus der Hauptstadt zu diskutieren, zu verkünden und die Dorfbewohner über ihre Frondienste zu informieren. Auch wenn dies nur Vermutungen der Archäologen sind, die wiederrum auf spärlichen Indizien fußen, haben wir dank des „Pompeji Amerikas" zumindest eine vage Vorstellung davon, wie das Regierungssystem der Maya auf lokaler Ebene aussah und funktionierte.

# Kapitel 6 – Die Kriegsführung der Maya

Es ist aufgrund von Texten und Monumenten der Maya als auch aufgrund von anderen archäologischen Funden offensichtlich, dass die Kriegsführung eine wichtige Rolle für die Maya-Zivilisation spielte. Während des größten Teils ihrer Geschichte befanden sich die fragmentierten Maya-Staaten beinahe in einem ständigen Kriegszustand miteinander. Nicht einmal Bedrohungen von außen, z.B. von Teotihuacan oder den Azteken, konnte die Maya veranlassen, einen Waffenstillstand auszurufen und sich gegen den gemeinsamen Feind zu vereinigen. Als die Spanier kamen, war den Yucatán-Maya klar, wie gefährlich die Europäer waren, aber selbst dann war der Drang, alte Rechnungen zu begleichen zu groß, als dass Frieden und Einheit mehr als ein paar Jahre angedauert hätten. Man könnte annehmen, dass etwas für die Maya so Wichtiges wie der Krieg gut dokumentiert und von den Historikern aufgearbeitet worden sei, aber das ist nicht der Fall. Wir wissen nicht viel über die Logistik, die Organisation oder das Training des Militärs, da es in Texten oder auf Inschriften nicht erwähnt wird. Monumente weisen manchmal Abbildungen von Schlachten auf, aber sie konzentrieren sich meist auf das Feiern von Siegen und die Erwähnung von Kriegen, die von den Maya-Königen geführt wurden. Der Mangel an konkreten Hinweise hat Historiker und Archäologen jedoch nicht davon abgehalten, wenigstens einige der Geheimnisse der Kriegsführung der Maya zu lüften.

Über die Kriegsführung der Maya ist bekannt, dass die Herrscher die obersten Kriegshauptleute waren, was unter anderem durch Monumente nachgewiesen wird. In der Präklassischen Periode wurden Herrscher mit Trophäenköpfen an ihren Gürteln dargestellt und manchmal auch mit ihnen begraben. Sie repräsentierten die geopferten Gefangenen. Das Bild verschwand später und Herrscher wurden auf ihren Gefangenen stehend gezeigt. Manchmal wurden auch Königinnen auf die gleiche Art dargestellt. Kriegsgefangene waren für die Könige der Maya wichtig, weil sie eine Möglichkeit darstellten, den eigenen Wert sowohl den Göttern als auch den eigenen Untertanen gegenüber zu beweisen. Einige Dokumente bezeugen, dass ein Herrscher erst gekrönt werden konnte, wenn er wenigstens einen Gefangenen gemacht hatte, der später geopfert werden konnte. In einigen Szenen werden sogar die königlichen Vorfahren, ebenfalls in der Kleidung von Kriegern, dargestellt, die dem herrschenden König auf dem Schlachtfeld Hinweise geben. Die religiöse Bedeutung von Opfern, besonders der Gefangenen, bestand bis zur Zeit der Konquistadoren und liefert eine Erklärung, warum die Kriegsführung für die Maya und ihre Könige so wichtig war. Sie hilft zu verstehen, warum die Kriege in der Welt der Maya offensichtlich nie aufhörten und warum Herrscher oft Titel wie „Er, der 20 Gefangene gemacht hat" trugen. Trotz aller Inschriften und Texte, die siegreiche Herrscher darstellen, behaupteten einige Historiker, dass die Herrscher der Maya nicht wirklich an den Schlachten teilnahmen, sondern nur Oberkommandierende und keine Soldaten waren. Sie sahen die Abbildungen als reine Propaganda. Dass es aber Abbildungen gab, die Könige im Kampf Mann gegen Mann zeigen und dass viele Inschriften Herrscher erwähnen, die in Schlachten gefangen genommen wurden, widerlegte diese Theorie später. Sogar die Spanier erwähnten, dass die Oberhäupter einiger königlicher Familien am direkten Kampfgeschehen teilnahmen.

Es waren auch die europäischen Eroberer, die etwas über die Organisation und Hierarchie des Maya-Militärs der späten Postklassik anmerkten. Die Spanier erwähnen einen nicht-erblichen Titel des „nacom". Dieser Rang war nicht dauerhaft, sondern man hatte ihn nur kurze Zeit inne, nicht länger als die Dauer eines bestimmten Krieges, ähnlich dem Titel eines Diktators in der antiken römischen Republik. Die Aufgabe der *nacom* war es, die Armee zu versammeln und zu organisieren und bestimmte religiöse Rituale zu zelebrieren, die zuvor wahrscheinlich durch den Herrscher vollzogen wurden. Ein *nacom* der Maya aus Yucatán führte die Truppen nicht persönlich in die Schlacht, sondern agierte als ein militärischer Oberstratege. Aber im Quiché-Königreich führte der *nacom* die Truppen auch in der Schlacht, unterstützt von vier Hauptmännern unter seinem Kommando. Diese Hauptmänner hatten wahrscheinlich den Rang eines „batab" inne, ein Titel, der den Herrschern und Gouverneuren abhängiger Städte und Orte gegeben wurde. Die Spanier vermerkten, dass ihre Aufgabe darin bestand, die lokalen Armeen unter dem Oberkommando ihres Herrschers in die Schlacht zu führen, wobei in diesem Fall ein Offizier den Herrscher repräsentierte. Historiker haben die Pflichten und Aufgaben auf den spätklassischen Titel „sahal" zurückgeführt, den die Herrscher von Vasallenstädten trugen.

Ein weiterer militärischer Rang der Klassischen Periode, der entziffert worden ist, ist der Titel eines „bate". Seine genaue Bedeutung bleibt im Dunkeln, aber es scheint, als habe er etwas mit den Kriegsgefangenen und ihrer Opferung zu tun gehabt. Diesen Titel hatten sowohl Herrscher als auch Elitekrieger inne, aber er wurde auch einigen adligen Frauen zugeschrieben. Obwohl es einige Erwähnungen von Frauen gibt, die im Krieg Hilfsdienste leisteten, wurden sie nie als Offiziere genannt. Es scheint also, dass *bate* eher ein Ehrentitel und ein erblicher Titel war, der einer Person oder einer

Familie verliehen wurde, die ihren Wert im Kampf bewiesen hatte. Was alle bekannten militärischen Offiziere verbindet, ist ihre Zugehörigkeit zu den Eliten, gleichgültig ob erblich oder nicht. Das war wahrscheinlich dem Umstand geschuldet, dass nur die Adligen die Möglichkeit hatten, die Kunst des Krieges und der Strategie zu üben. Auch für den Herrscher und den Staat war es von Vorteil, dass die Adligen als Offiziere dienten, da sie über viele Krieger verfügten, sei es durch Verwandtschaft, Tributbeziehungen oder den Besitz ihres Grund und Bodens. Man kann das mit den Feudalherren in den mittelalterlichen europäischen Königtümern vergleichen. Ein großer Unterschied zwischen einem adligen Maya-Offizier und einem europäischen Ritter war jedoch, dass in der Gesellschaft der Maya ein Nicht-Adliger in der sozialen und militärischen Hierarchie aufsteigen konnte, wenn er seinen Mut im Kampf bewies.

Historiker sind sich heute nicht sicher, wie verbreitet diese Art der Beförderung war, aber es ist klar, dass unter den Offizieren die Mehrheit der einfachen Soldaten stand. Die Maya unterhielten keine stehende Armee, aber einige Quellen deuten darauf hin, dass sie eine kleine Gruppe von Kriegern hatten, die in größeren Siedlungen stationiert waren und in Bereitschaft standen. Ob es sich dabei um einfache Bürger oder Mitglieder der Elite handelte, ist ungewiss. Wie auch immer, die Spanier berichteten, dass eine Gruppe kampfbereiter Maya jedem Versuch eines Überraschungsangriffs auf die Häfen begegnete. Die regulären Maya-Soldaten waren Wehrpflichtige, die wahrscheinlich von ihren örtlichen Gouverneuren oder Adligen einberufen wurden. Ihr Militärdienst war möglicherweise Teil ihrer Frondienste. Die Dienste der Bevölkerung wurden insbesondere in Zeiten eines ausgewachsenen Krieges benötigt, wenn die Mehrheit der männlichen Bevölkerung einberufen wurde, um für den König und den Staat zu kämpfen. Wahrscheinlich brachten sie ihre eigenen Waffen mit, die sie im Frieden für die Jagd benutzten. Und es scheint, dass die Jagd, das einzige Training war, das ein einfacher Bürger erhielt und welches er später durch seine eigenen Erfahrungen aus vorangegangenen Feldzügen ergänzte. In Kriegszeiten gab es außerdem noch die Söldner. Sie waren besser ausgebildet, aber weniger loyal und in manchen Fällen ein entscheidender Faktor für den Verlauf des Kriegs. Ihre Bezahlung erhielten sie von den Kriegshauptleuten, die ihre Dienste kauften, aber die Bevölkerung stellte ihnen Unterkunft und Nahrung.

Söldner, Offiziere und einfache Soldaten brachten ihre eigenen Waffen mit auf das Schlachtfeld. Die am häufigsten auf Monumenten abgebildete Waffe ist wahrscheinlich der „atlatl", die Speerschleuder. Diese Waffe kam im vierten Jahrhundert unserer Zeitrechnung durch die Teotihuacanos aus Zentralmexiko zu den Maya. Sie stellte eine wesentliche Verbesserung dar, da der Speer oder der Pfeil mit seiner scharfen Spitze aus Feuerstein oder Obsidian, ein Ziel aus 45 Metern Entfernung mit wenigstens doppelt so großer Wucht und höherer Zielgenauigkeit treffen konnte, als wenn man den Speer von Hand warf. Es sollte darauf hingewiesen werden, dass manche Historiker annehmen, dass der Gebrauch des *atlatl* aufgrund seiner Unbrauchbarkeit im Dschungel begrenzt war, und seine Abbildung lediglich ein Symbol der Stärke war, dass man der teotihuacanischen Kunst entlehnt hatte. Neben der Speerschleuder benutzten die Maya Blasrohre, die sowohl bei der Jagd als auch im Krieg Anwendung fanden. Diese Waffe wurde wahrscheinlich eher von einfachen Bürgern benutzt, da sie billig herzustellen war und weniger Übung erforderte. Pfeil und Bogen waren ebenfalls schon in der Klassischen Ära bekannt, aber es dauerte bis in die Postklassische Ära, bis sie als Waffe auf dem Schlachtfeld Verbreitung fanden. Auch der Bogen war eine Waffe der einfachen Soldaten, die Pfeile aus Schilfrohr benutzten, die an der Spitze mit Flint oder scharfen Fischzähnen bewehrt waren. Daneben benutzten die Maya eine Reihe von Handwaffen.

Die Maya-Soldaten benutzten meist Holzspeere, Äxte und Keulen, die oft mit rasiermesserscharfen Obsidianspitzen oder – klingen versehen waren. Sie besaßen Messer und Dolche, die ebenfalls aus geschärftem Obsidian oder Feuerstein gemacht waren. Für die Europäer war der Mangel an Metallwaffen auffallend und sahen dies als primitiv an. Die Maya benutzten bereits Klingen aus Kupfer, als die ersten Spanier eintrafen, allerdings nur in geringem Maße. Im allgemeinen blieben sie bei Schneiden aus Stein, da Obsidian leichter verfügbar war, billiger, haltbarer und leichter in scharfe Klingen zu verwandeln.

Außerdem war nichts Primitives an einer Obsidianklinge, denn Christoph Kolumbus merkte selbst an, dass die Waffen der Maya genauso gut schnitten wie der spanische Stahl. Die Maya-Krieger waren außerdem mit Schilden ausgestattet. Die Art des Schildes hing von der Waffe ab, die ein Krieger trug. Wenn er mit einem Speer bewaffnet war, trug er üblicherweise einen rechteckigen, flexiblen Schild aus Leder und Baumwolle. Ihre defensiven Eigenschaften waren begrenzt und sie wurden im Wesentlichen benutzt, um Schutz vor Geschossen und passiven Schutz des Körpers zu bieten. Sehr wahrscheinlich bot der Speer sowohl die Möglichkeit für Angriffe als auch für defensives Parieren. Historiker nehmen an, dass die Speerträger die Mehrheit der Maya-Krieger in der Schlacht stellten, was sie zum Kern der Armee machte.

Soldaten mit Äxten und Keulen waren seltener und wurden wahrscheinlich zur Unterstützung der Speerträger in der Schlacht eingesetzt oder waren mit besonderen Aufgaben betraut. Sie waren außerdem nützlicher bei kleinen Überfällen auf leicht bewaffnete Feinde. Auch sie trugen Schilde. Diese waren üblicherweise rund und relativ starr und wurden aus Leder, Holz und in manchen Fällen auch Schildkrötenpanzern hergestellt. Da sie kleiner und direkt am Arm befestigt waren, bestand ihr Hauptnutzen in der Abwehr der feindlichen Schläge, da die kürzeren Keulen und Äxte für diesen Zweck nicht geeignet waren. Bei diesem Schild wurde einer kleineren Form, die sich leichter handhaben ließ, der Vorzug vor einer größeren gegeben, die besser schützte. Dadurch wurde allerdings die Menge an Schutz, die ein solcher Schild für den Krieger bot, verringert.

Archäologen haben eine dritte Art von Schilden gefunden, die starr, groß und rechteckig waren. Sie bestand meist aus Holz, Leder oder gewebtem Schilf. Sie stammten aus Zentralmexiko und waren dort recht verbreitet. Historiker sind jedoch der Ansicht, dass ihr Nutzen begrenzt war und sie eher als ein Zeichen von Macht und Ansehen dienten. Diese Annahme beruht auf der unpraktischen Handhabung des Schilds im dichten Dschungel des Maya-Territoriums und dem Umstand, dass die Schilde meist mit mexikanischer Ikonographie und Götter assoziiert wurden, was dem Schild eher einen Wert als Statussymbol verlieh.

*Figur eines Maya-Speerträgers. Quelle: https://commons.wikimedia.org*

Es scheint, dass auch Helme nur symbolischen Wert hatten. Sie wurden meistens von höherrangigen Offizieren getragen und obwohl sie wahrscheinlich auch ein wenig Schutz boten, bestand ihr Hauptnutzen darin, die Stellung seines Trägers zu demonstrieren. In der Postklassischen Ära wurden die Helme, die meist aus Holz bestanden, mit verschiedenen Emblemen, Bildnissen und Federn geschmückt. Die Helme der Klassischen Ära schützten noch weniger und hatten eher ästhetischen Wert. Sie waren ein aufwendiger

Kopfschmuck aus Holz und Tuch, der den animalischen Geist des Kriegers repräsentierte. Die Könige trugen die Symbolik sogar noch weiter. Manchmal kleideten sich die Maya-Herrscher in rituelle Kriegskostüme, um ihre Truppen anzuspornen. Diese Kleidung bot zwar zusätzlichen Schutz, war aber für den Kampf zu unpraktisch. Aus diesem Grund war es keine verbreitete Praxis, sie im Kampf zu tragen, und sie wurde wahrscheinlich nur benutzt, wenn der König nicht direkt am Kampfgeschehen teilnahm. In den Abbildungen von Königen, die an Schlachten teilnahmen, trugen diese passendere Schutzkleidung wie zum Beispiel gesteppte Baumwollwesten und Leggings aus Jaguarpelzen. Sie trugen auch aufwendigen Jaguarkopfschmuck und Schilde, die mit dem Symbol des Jaguar-Gottes verziert waren, einer Maya-Gottheit des Krieges und der Unterwelt.

Trotz des Umstands, dass Könige manchmal mit gesteppter Baumwollrüstung dargestellt wurden, scheint ihr Gebrauch nicht sehr verbreitet gewesen zu sein. Die meisten einfachen Krieger tragen auf Abbildungen nur einen Lendenschurz. Es scheint also, dass Schutzkleidung aus Baumwolle zumindest in der Klassischen Ära dem Adel vorbehalten war. Das mag sich in der Postklassischen Ära geändert haben, denn es gibt Berichte, dass die Spanier ihre eigenen stählernen Brustpanzer zugunsten der Baumwolltuniken der Maya abgelegt hätten. Das deutet möglicherweise daraufhin, dass sie von mehr als nur ein paar Adligen getragen wurden. Aber es zeigt auch, wie effektiv sie waren. Sie boten genügend Schutz gegen Waffen mit Obsidianspitzen, allerdings deuten die Quellen der Konquistadoren an, dass sie weniger wirkungsvoll gegen Waffen aus Stahl waren. Ihre Hauptvorteile bestanden darin, dass sie leichter waren, besser für die hohen Temperaturen geeignet und dass sie flexibler waren und Soldaten mehr Bewegungsfreiheit als eine stählerne Rüstung erlaubten. Es war nur bedauernswert, dass dieser Schutz den einfachen Soldaten nicht zur Verfügung stand. Da sie mit unbekleidetem Oberkörper kämpften, trugen sie oft Körperfarbe. Die

Gründe dafür können religiöser Art gewesen sein oder praktischer Natur, um sich von den Feinden zu unterscheiden oder sogar eine Art psychologischer Kriegsführung, um den Gegner zu verunsichern.

Die genauen Taktiken der Maya Generäle auf dem Schlachtfeld sind unbekannt, da es keine Berichte darüber gibt. Einige Historiker argumentieren, dass der Mangel an Bannern und Standarten darauf hindeutet, dass sie ohne Formation kämpften. Der Umstand, dass der Kampf im dichten Dschungel nicht für eine geordnete Formation geeignet ist, scheint diese These zu unterstützen. Militärhistoriker schließen aus den Typen von Waffen und Ausrüstung der Maya, dass die typische Schlacht mit einem Hagel von Wurfgeschossen begann. Diese zielten darauf ab, den Feind physisch und mental zu schwächen. Dann trafen die Kämpfer beider Armeen im Kampf Mann gegen Mann aufeinander. Die Sieger dieser Schlachten waren diejenigen mit den größeren Armeen, besserer Ausrüstung und schließlich mit der höheren Moral und dem größten Kampfeswillen. Man kann nicht ausschließen, dass zumindest einige Maya-Strategen komplexere Taktiken befolgten wie Einkreisung und Hinterhalte. Historiker haben nur einfach keine Belege, um diese Möglichkeiten zu bestätigen.

Nicht alle Schlachten der Maya fanden in der Wildnis statt, da eine wichtige Taktik der Maya-Kriegsführung der Überfall auf Städte war. In einigen Situationen waren die angegriffenen Städte ohne Verteidigung. So war vielleicht die Hauptarmee einer angegriffenen Stadt zuvor besiegt worden. Die angreifende Armee konnte die Stadt dann einfach überrennen, plündern, niederbrennen und zerstören. Aber die Städte wurden nicht immer ohne Schutz zurückgelassen. In diesen Fällen wurden die breiten Straßen und offenen Plätze zu fragmentierten Schlachtfeldern. Natürlich hing das Schicksal einer Stadt und seiner Bewohner vom Ergebnis der Schlacht ab. Als die Angriffe auf die urbanen Zentren zunahmen, begannen die Städte, verschiedene Verteidigungsanlagen zu bauen, die die Art und Weise des Angriffs veränderten. Es gibt keinen Hinweis auf

Belagerungsausrüstung, um die Verteidigungsanlagen zu durchbrechen, daher scheint es, dass die Haupttaktik eine Blockade war. Die angreifende Armee versuchte, den Nachschub der Stadt abzuschneiden, in der Hoffnung, dass die Verteidiger schließlich aufgaben. Die Beherrschung dieser Taktik wurde den Maya von den Spaniern attestiert, die während ihres Angriffs auf Yucatán im Jahr 1533 durch diese Maßnahme besiegt wurden. Ihr Lager wurde eingekesselt und vom Nachschub abgeschnitten. Da sie nicht in der Lage waren, Wasser oder Nahrung zu finden, waren sie gezwungen im Schutz der Nacht zu fliehen, um ihr Leben zu retten. Andere Belagerungstechniken wie Überraschungsangriffe mögen ebenfalls angewendet worden sein, um die Wachen unvorbereitet anzutreffen. Vielleicht wurden auch Bewohner der Städte bestochen, um den angreifenden Armeen Zugang zu gewähren. Da diese Möglichkeiten aber anhand der Quellen nicht verifiziert werden können, bleiben sie spekulativ.

*Replika eines Maya-Wandgemäldes einer Schlacht.*
*Quelle: https://commons.wikimedia.org*

Was deutlich belegt ist, sind die Überreste der Befestigungen der Städte gegen Angriffe. Es scheint, als wären ursprünglich Gräben und Wassergräben, die durch Umleitung der Bewässerungskanäle geschaffen wurden, die häufigsten Verteidigungsbauten gewesen. Einige Historiker argumentieren, dass Wassergräben keine rein defensive Funktion hatten, sondern auch als Wasserreservoir für die Stadt dienten. Beide Theorien scheinen plausibel. In Friedenszeiten konnten die Bewohner sie als Wasserquelle nutzen, aber während eines Angriffs stellten Wassergräben ein erhebliches Hindernis für die angreifenden Truppen dar. Auch Mauern wurden gebaut und waren bis zu elf Metern hoch. Über ihren Zweck gibt es weniger Zweifel, da sie klar erkennbar als Teil der Befestigung erbaut wurden. Einige Forscher haben argumentiert, dass sie errichtet wurden, um den Adel von den einfachen Bürgern zu trennen, aber das scheint nicht wahrscheinlich, da es der Vorstellung der Maya von offenen Plätzen für Zeremonien und Ritualen widerspricht. Eines der besten Beispiele für Verteidigungsmauern findet sich in Dos Pilas, wo sie in Eile aus den Materialien der religiösen Gebäude errichtet wurden. Die Verteidiger errichteten zwei konzentrische Mauern, um eine zwanzig bis dreißig Meter breite Todeszone zu schaffen. Wenn die Angreifer die Tore durchbrachen, waren sie zwischen zwei Mauern gefangen und wurden so zu leichten Zielen für die Verteidiger auf der inneren Mauer. Archäologen haben an dieser Stelle viele Projektilspitzen gefunden, während sie außerhalb der Mauern auf Begräbnisse von enthaupteten Männern stießen. Das beweist, wie effektiv und blutig die Defensivtaktiken und Befestigungen der Maya waren. Aber wie schon erwähnt, reichten sie letztlich nicht aus, um die Stadt zu retten.

Andere Städte, die das gleiche Schicksal wie Dos Pilas teilten, errichteten in Zeiten der Notwendigkeit rohe Barrikaden aus Schutt. Diese Verteidigungsanlagen waren natürlich weniger wirksam. Eine andere Art von Schutzbauten waren hölzerne Palisaden, die manchmal bis zu neun Metern hoch waren. Wenn sie nicht in Eile wegen eines drohenden Angriffs errichtet wurden, konnten sie mit Verputz versehen sein, damit sie nicht zu schnell Feuer fingen. Während der Spätklassischen und Postklassischen Ära gab es einen wichtigen Fortschritt bei den Befestigungswerken. Die Mauern wurden mit breiteren Bollwerken, Brüstungen und Laufgängen versehen. Das ging auf den vermehrten Einsatz von Bogenschützen im Krieg zurück, die aus größerer Entfernung schießen konnten. Von der Mauerkrone aus konnten die Verteidiger Bogenschützen in Stellung bringen, um die Angreifer auf Distanz zu halten. Während dieser Zeit wurden die Verteidigungssysteme komplexer, indem mehrere Verteidigungsringe anlegt wurden, deren innerster das heilige und wichtige Stadtzentrum schützte. Daneben errichteten einige Städte aber auch kleinere Forts außerhalb der Stadtgrenzen. Diese bildeten die erste Verteidigungsgrenze, um die Gefahr von Überraschungsangriffen zu verringern. Aber gleichgültig wie komplex oder wirksam diese Verteidigungsanlagen waren, nichts konnte – so scheint es – die Städte der Maya letztlich vor dem Krieg schützen. Sie alle erlitten Niederlagen.

Die Maya versuchten weiterhin, solche fatalen Ausgänge zu verhindern. Als weitere Möglichkeit, die Verteidigung ihrer Siedlungen zu stärken, diente ihnen die Nutzung der Landschaft. Diese Versuche wurden in der Postklassischen Ära häufiger, insbesondere im Hochland. Dort wurden viele Städte und Befestigungen auf Berggipfeln errichtet, was den Zugang zu ihnen erschwerte. Manchmal konnte man sich einer Stadt nur auf einem schmalen Pfad nähern, der sich leicht von den Verteidigern kontrollieren ließ. In anderen Fällen war eine Stadt von einer Schlucht umgeben, die man nur auf einer Brücke aus Planken überqueren konnte, die die Verteidiger entfernen konnten. Befestigungen dieser Art wurden mehr und mehr zu Zitadellen ausgebaut und dienten vornehmlich der Verteidigung, nicht mehr dem Leben und Wohnen. Im Tiefland waren Inseln in Seen oder vor der Küste natürliche Verteidigungsarten, für deren Zugang man ein Kanu oder Boot benötigte. Die Spanier haben auch die Verwendung von Fallen als Defensivmaßnahmen erwähnt. Ein Beispiel dafür ist, dass die Maya versuchten, die Konquistadoren auf einen schmalen Pfad zu locken und dann die Zugänge zerstörten. Dahinter steckte die

Kalkulation, sie an einem hochgelegenen Ort zu besiegen, an dem ihre Pferde sich schlecht bewegen konnten und sie leichte Ziele für Bogenschützen und Speerträger wurden.

Eine weitere wichtige Frage, die beantwortet werden muss, ist, warum es für die Maya so wichtig war, Kriege zu führen. Das lässt sich am besten durch eine Analyse der Arten von Krieg, die sie führten, herausfinden, oder genauer gesagt, durch die Bestimmung des primären Ziels. Am häufigsten zogen die Staaten der Maya in den Krieg, um ihre Territorien und ihren Einfluss zu vergrößern. Das geschah, um ökonomischen Profit zu machen, meist durch die Kontrolle von Handelsrouten und Rohstoffen, aber auch um politische Vorteile daraus zu ziehen. Kriege konnten durch den Wunsch begründet sein, einen Alliierten oder einen Vasallen eines feindlichen Staates zu besiegen, den Versuch, eine Dynastie zu stürzen, den Wunsch, die politische Stärke des eigenen Staates zu verbessern oder in manchen Fällen auch aus Rache. Zusätzlicher Nutzen entstand aus gewonnenen Kriegen durch die Tribute, die von besiegten Städten entrichtet wurden. Rache als Motiv verlieh Kriegen manchmal eine andere Dimension, indem sie eine Konfrontation von einem territorialen Konflikt in eine Zerstörungsmission verwandelte. Das war weniger häufig, da es offensichtlich keine so großen Vorteile wie eine Eroberung mit sich brachte. Wenn es geschah, war es meist eine Kulmination von Jahren an Feindseligkeiten und feindlichen Auseinandersetzungen. Das beste Beispiel dafür ist Dos Pilas, das zerstört wurde, ohne dass es Anzeichen dafür gab, dass die Angreifer versucht hätten, es zu erobern oder zu unterwerfen. Ein weiteres Beispiel für einen Zerstörungskrieg war die Vernichtung eines Wettbewerbers im Seehandel durch Chichén Itzá. Es gab keinen Anlass für Rache, nur die einfache Berechnung, dass ein Wettbewerber derartig zerstört werden musste, dass nicht die Aussicht bestand, dass er sich später erholte. Wäre er zu einem Vasallenstaat gemacht worden, hätte er sich möglicherweise erholen können.

Aber Profit und Rache waren nicht die einzigen Gründe für die Maya, in den Krieg zu ziehen. Eine weitere zentrale Rolle spielten die Religion und ihre Rituale. Wie wir erfahren haben, war es ein wichtiger Teil des Herrscherkultes, dass man den König mit Gefangenen beschenkte, die als Menschenopfer in Zeremonien dienten, um das Wohlwollen Göttern zu erlangen. Diese Gefangenen zu machen war sicherlich ein Grund für die Maya, in den Krieg zu ziehen. Es sollte allerdings betont werden, dass dies nicht der Hauptgrund für Kriege war, wie Archäologen früher angenommen haben. Mit den häufig und regelmäßig ausgefochtenen Kriegen mangelte es den meisten Staaten nicht an Gefangenen. In einigen Fällen jedoch, wenn sich die Maya-Könige selbst beweisen und zeremonielle Opfer herbeischaffen mussten, konnte es zu Konflikten kommen, wenn auch nicht zu einem ausgewachsenen Krieg. Und auch wenn die Religion eher selten einen Kriegsgrund darstellte, wurde sie doch häufig zu seiner Rechtfertigung angeführt. Die Maya schauten oft in den Nachthimmel, um die Bewegung der Venus zu beobachten, die mit dem Krieg in Verbindung stand. Kriege wurden typischerweise geführt, wenn sie am Nachthimmel sichtbar war. Diese Kriege sind tatsächlich mit einer Sternenkriegs-Glyphe auf Monumenten und in Texten markiert worden. Das bedeutete, dass der Krieg als göttliche Mission sanktioniert war, ähnlich den Kreuzzügen oder dem Dschihad. Sie wurde häufig als Rechtfertigung für territoriale Kriege angeführt, was die sogenannten „Sternenkriege" zu recht häufigen Vorkommnissen machte.

# Kapitel 7 – Die Wirtschaft der Maya-Zivilisation

Aus den vorangegangenen Kapiteln wurde ersichtlich, dass die Wirtschaft eine bedeutende Triebkraft der Maya-Zivilisation war. Sie war die Basis, auf der ihre Gemeinwesen sich von Stammesfürstentümern zu Staaten entwickelten, sie ermöglichte die Ausbreitung der Kultur, große architektonische Errungenschaften und wegen ihr wurden Kriege begonnen und beendet. Sogar den Maya selbst war klar, wie wichtig ihnen die Wirtschaft war, besonders in der Postklassischen Ära, als ihre Gesellschaft sich rasch kommerzialisierte. Um die Geschichte, Entwicklung und Kultur der Maya vollständig zu verstehen, muss man daher verstehen, wie ihre Wirtschaft funktionierte. Die frühen Stammesgesellschaften waren Jäger und Sammler und wurden zu Ackerbauern, als die Vorfahren der Maya sesshaft wurden. Schon früh in der Präklassischen Ära fanden die Maya heraus, dass Bewässerung der Schlüssel zu besseren und verlässlicheren Ernten war. Daher bauten sie Brunnen, Kanäle und in extremen Fällen wie in Kaminaljuyú auch große Bewässerungssysteme. Daneben war es üblich, Wasserreservoirs aus natürlichen oder künstlichen unterirdischen Höhlen als auch aus Steinbrüchen zu machen, die mit Lehm ausgekleidet wurden, damit sie wasserdicht waren. In einigen Fällen wie in Yucatán vertieften die Maya sogar wasserhaltende Vertiefungen und züchteten Wasserlilien, um die Verdunstung zu verringern.

Trockenzeiten waren nicht das einzige Problem, dem sich die Maya in der Landwirtschaft gegenübersahen. Überflutungen und heftiger Regen verursachten ebenfalls Schwierigkeiten, doch die Kanäle und andere Wassermanagementsysteme ließen das Wasser abfließen. Wo es keinen Bedarf an Kanälen gab, nutzten die Maya die Technik des Entwässerns und Aufschüttens, das heißt die Felder wurden mit einem Netz von Entwässerungsgräben durchzogen, die das überschüssige Wasser abführten, während gleichzeitig die Erde, die aus den Gräben ausgehoben wurde, auf die Felder verteilt wurde, um sie über die Überschwemmungsebene hinaus zu erhöhen. Ein weiteres Problem der Maya-Bauern bestand darin, die Fruchtbarkeit ihres Bodens zu erhalten. Sie nutzten verschiedene Techniken wie die Pflanzung sich ergänzender Arten nahe beieinander wie z.B. Bohnen und Mais, nutzten Dünger aus Haushaltsabfällen und praktizierten einen Fruchtfolgeanbau. Die Maya-Bauern wandten auch Methoden der Brandwirtschaft an, hauptsächlich jedoch, um neue Felder anzulegen. Und obwohl diese Ansätze zur Erhaltung der Fruchtbarkeit ein Verständnis für die Landwirtschaft zeigen, reichten sie nicht aus, um den Nahrungsbedarf einer wachsenden Bevölkerung zu decken. So wurden viele fruchtbare Felder überbeansprucht und waren am Ende der Klassischen Ära erschöpft.

Nichtsdestotrotz hatte die Landwirtschaft der Maya Bestand, während die Bauern nach neuen fruchtbaren Böden suchten, auf denen sie ihre Feldfrüchte anpflanzen konnten. Die Pflanzen lassen sich in zwei große Gruppen teilen, Nahrungspflanzen und Pflanzen für den Export. Die hauptsächlichen Nahrungspflanzen beinhalteten Mais, Maniok, Kürbis, Süßkartoffeln, Papaya, Ananas, Avocado, Tomaten, Pfefferschoten und Bohnen. Daneben pflanzten die Maya auch noch einige medizinische Kräuter in kleineren Hausgärten an. Und obwohl Nahrungsmittel manchmal auch gehandelt wurden, kam das größte Handelseinkommen aus den Exportpflanzen. Die wichtigste von ihnen war der Kakao, der sich bei den höheren Klassen einer großen Nachfrage erfreute, um damit Schokoladengetränke herzustellen. Kakao hatte auch eine Verbindung zu den Göttern und diente bis zu einem gewissen Grad sogar als Währung. Ein anderes wichtiges Exportprodukt war Baumwolle, die dank des Klimas gut in der Region Yucatán gedieh. Im Gegensatz zu Kakao wurde Baumwolle vor dem Export meist erst zu einem fertigen Textilprodukt verarbeitet und stellte eine wichtige Einkommensquelle dar. Eine dritte Anbaupflanze für den Export war die Agave, aus der Fasern sowohl für die preisgünstige Kleidung der einfachen Bürger als auch starke Seile gewonnen wurden. Zusätzlich bauten die Maya Tabak an, der sowohl für rituelle Zwecke als auch als individuelles Genussmittel verwendet wurde. Trotz der Entwicklung der Landwirtschaft blieben die Jagd und das Sammeln von Früchten ebenfalls wichtige Nahrungs- und Einkommensquellen für die Maya.

Die Maya machten Jagd auf Rotwild, Pekaris, Affen, Wachteln und Rebhühner. Sie jagten auch Krokodile und Seekühe. Für die Jagd auf größeres Wild benutzten die Jäger der Maya Speere und Bögen, während sie Affen und Vögel mit Blasrohren erlegten. Sie verwendeten auch Fallen, um Tapire und Gürteltiere zu fangen aber auch Schildkröten und Leguane, die als Ergänzung zu Fleisch die hochgeschätzten Eier lieferten. Wie in der Landwirtschaft wurden nicht alle Tiere als Nahrung gejagt. Jaguare, Aras und Quetzals wurden in erster Linie wegen ihrer Federn, Klauen, Pelze und Zähne gejagt, die von den Adligen für ihre Kleidung und Accessoires sehr begehrt waren. Das machte sie zu wertvollen Handelswaren. Der Dschungel bot den Maya weitere Nahrung, die sie sammelten, wie z.B. Pilze, manchmal auch halluzinogene, und verschiedene Beeren als auch Grüngemüse wie Baumspinat und radieschenähnliche Wurzelpflanzen. Der Regenwald war eine Quelle für medizinische Kräuter und Gewürze wie Oregano und Piment. Sie sammelten auch Vanilleschoten sowohl wegen des Dufts als auch zum Würzen und bauten manchmal sogar tief im tropischen Dschungel Vanillepflanzen an. Natürlich fischten die Maya auch sowohl an der Meeresküste als auch in Seen und Flüssen im Inland. Sie fingen Garnelen, Hummer, Meeresfrüchte und Fische. Fische aus dem Meer wurden manchmal eingesalzen und als Delikatessen im Inland gehandelt.

Alle dieser aufgeführten ökonomischen Aktivitäten sind auch in einem globalen Maßstab weit verbreitet, so dass es nicht verwundert, dass die Maya sie ebenfalls ausübten. Was ein wenig überraschen mag, ist die Tatsache, dass die Maya niemals eine richtige Viehwirtschaft entwickelten. Sie domestizierten zwar Hunde zur Jagd und als Haustiere, aber Truthähne und Enten waren nur halbdomestiziert. Manchmal fingen die Maya ein Reh und hielten es solange, bis es gegessen wurde. Die Maya Yucatáns züchteten sogar Bienen. Dort stellen sie Bienenstöcke aus hohlen Baumstämmen her, deren eines Ende verschlossen wurde. Honig war für die Maya der einzig bekannte Süßstoff, was ihn zu einem wichtigen Teil der Ernährung aber auch zu einem wertvollen Handelsgut machte. Wichtiger aber als der süße Honig war das Salz, welches lebensnotwendig war. Und obwohl fast alle Maya, die an der Küste lebten, es produzierten, wurde das Salz aus Yucatán am meisten geschätzt und in größeren Mengen produziert. Sogar die Adligen in Zentralmexiko waren darauf erpicht. Ein weiteres Produkt, das teilweise dem Adel vorbehalten war, waren alkoholische Getränke, die meistens bei Ritualen und Festmahlen getrunken wurden. Die berühmtesten Beispiele für die alkoholischen Getränke der Maya, die auch heute noch hergestellt werden, sind *balché*, ein milder Likör, und *chicha*, ein Maisbier.

Das zweite Standbein der Maya-Wirtschaft waren deren handwerkliche und kunsthandwerkliche Arbeiten. Die Produkte und die Fähigkeiten der Handwerker rangierten von einfach und krude bis hin zu vorzüglicher Kunstfertigkeit. Und obwohl die meisten von ihnen einfache Bürger waren, stiegen hochbegabte Kunsthandwerker oft in die Mittelschicht auf. Selbst einige Adlige pflegten handwerkliche Tätigkeiten. Von allen Produkten, die diese Handwerker herstellten, war Keramik wahrscheinlich das bedeutendste für die Wirtschaft. Zunächst einmal war die Keramik ein wichtiges Utensil für das tägliche Leben, vom Kochtopf bis hin zu Vorratsgefäßen. Die Waren variierten in Qualität, Schönheit und Form. Wenn sie bemalt und verziert waren, dienten sie einer ornamentalen Funktion wie Vasen und Figuren. Keramik war aber auch ein wichtiges Handelsgut, welches vom Adel hochgeschätzt wurde. Die Bedeutung lässt sich daran ablesen, dass die Maya eine Art von Massenproduktion entwickelten. Sie stellten Formen her, mit denen sie viele Kopien des gleichen Produkts, wie auch künstlerischen Figuren, anfertigten. Und wenn nötig, konnten die Rohlinge durch Bemalung oder zusätzliche Details verschönert oder individualisiert werden. Wichtiger aber war der Umstand, dass Keramik aufgrund der Massenproduktion billiger herzustellen und damit weithin verfügbar war. Keramikprodukte waren zudem nützlich für den Handel, denn man konnte sowohl Dinge darin transportieren als auch die Gefäße selbst verkaufen.

Einige Hersteller, die die Keramik bemalten, konnte man je nach ihren Fähigkeiten und der Qualität ihrer Arbeit als Künstler betrachten, während andere eher Kunsthandwerker und einfache Maler waren. Sie verwendeten verschiedene Pinsel und Werkzeuge, die dem hölzernen Stylus des antiken Nahen Ostens ähnelten. Aber auch die mit anderen Werkzeugen ausgestatteten Handwerker waren ein wichtiger Teil der vorindustriellen Arbeiter. Die Hauptressourcen der Werkzeugmacher waren wie schon erwähnt Obsidian und Feuerstein. Sie waren Bestandteile des Keramikhandels, aber auch notwendige Verbraucherwaren. Werkzeugmacher fertigten hölzerne Webladen, Handgriffe, Hebel und Knochen für Nadeln und Angeln an. Für schwerere Werkzeuge wie Meißel, Spachtel, Mahlsteine und Äxte verwendeten sie Basalt. Diese Werkzeuge waren weit verbreitet und wurden an allen Ausgrabungsstätten gefunden. Präzisionsinstrumente wie Mikrobohrer für die feinsten Steinarbeiten wurden nur in den Wohngegenden der Eliten in den urbanen Zentren gefunden. Das deutet darauf hin, dass diese Handwerker entweder adliger Herkunft waren oder von der herrschenden Klasse hochgeschätzt wurden. Es zeigt wiederum, welche Wertschätzung einige Handwerker, zumindest in der Klassischen Ära, in der Gesellschaft der Maya genossen.

In der Postklassischen Ära, um das 13. Jahrhundert herum, machten sich die Werkzeugmacher eine neue Technologie und Ressource zu eigen. Sie begannen, Kupfer zu verwenden, um Äxte, Angelhaken und Pinzetten herzustellen. Das widerlegt einen der häufigsten Mythen, dass nämlich die Maya keine Kenntnisse der Metallurgie hatten. In Wahrheit war das Kupfer nicht viel besser als die Steinwerkzeuge, die sie herstellten. In ihrer Heimat gab es keine Kupferminen, Obsidian, Feuerstein und Basalt dagegen fanden sie in Fülle. Das einzige Metall, über das sie verfügten, war Gold, aber es wurde nur in geringen Mengen im Hochland geschürft. Die meisten ihrer wertvollen Metalle kamen mit dem Handel aus den südlichen Gegenden Mesoamerikas und sie wurden in der Regel als fertige Produkte importiert. Auch wenn es einige Artefakte aus Gold und Silber gab, die höchstwahrscheinlich von Maya-Handwerkern hergestellt wurden, scheint es, dass sie kaum Fähigkeiten der Gold- und Silberbearbeitung entwickelten. Sie konzentrierten sich auf die Arbeit mit wertvollen Steinen, die es in der Heimat der Maya reichlich gab. Jade, Serpentin, Türkis und Pyrit wurden viel verwendet. Aus ihnen stellten sie Schmuck, Dekorationen, Figuren und andere Kunstwerke her. Pyrit wurde insbesondere verwendet, um Spiegel für Prophezeiungen herzustellen. Von den Materialien war Jade sowohl das wertvollste als auch das am schwierigsten zu bearbeitende. Historiker finden es heute bemerkenswert, dass die Kunsthandwerker der Maya in der Lage waren, Jade ohne Metallwerkzeuge zu bearbeiten, und denken, dass es großen Könnens und Hingabe bedurfte, um qualitativ hochwertige Gegenstände aus diesem Stein herzustellen. Die Maya-Handwerker verwendeten auch rote Muscheln und Knochen, um Schmuck und andere Kunstgegenstände herzustellen. Alle diese Waren wurden im Handel sehr geschätzt.

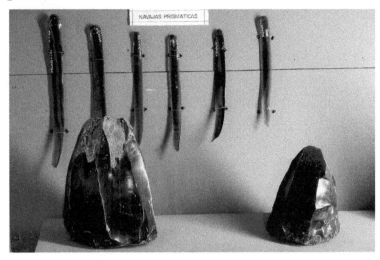

*Unbehauener Obsidian und Klingen aus Obsidian von Maya-Handwerkern. Quelle: https://commons.wikimedia.org*

Eine andere Ware, mit der sich Handel treiben ließ, war Kleidung aus Baumwolle. Wie erwähnt wurde Baumwolle von den Bauern der Maya angebaut, aber die Verarbeitung geschah durch spezialisierte Weber. Sie verwendeten eine Reihe komplizierter Techniken, um Baumwolltücher anzufertigen, aus denen sich Kleidung herstellen ließ. Sie war den Adligen vorbehalten und diente in manchen Fällen auch als Tributzahlung oder Geschenk an die Königsfamilie. Das Tuch war mit verschiedenen abstrakten Symbolen geschmückt, meist in Verbindung mit kosmologischen und religiösen Motiven. Teilweise wurden auch Federn in die Kleidung eingewoben, die meist sehr farbig war. Die Maya gewannen Färbemittel aus Pflanzen, Insekten und Muscheln und die am häufigsten verwendeten Farben waren dunkelblau, rot, violett und dunkelviolett. Die Weber stellten auch textile Wandbehänge und Brokate her sowohl als Dekoration als auch als Kunstwerke. All das weist darauf hin, dass das Textilgewerbe ein weiterer wichtiger Teil der Wirtschaft der Maya war. Natürlich waren die teuren Baumwolltextilien der Elite vorbehalten. In seltenen Fällen besaßen einfache Bürger Kleidung aus geringwertigerer, in Heimarbeit gesponnener Baumwolle, aber meist trugen sie einen einfachen Lendenschurz aus verschiedenen Hanffasern. Eine weitere Art verbreiteter Tracht bestand aus Tuch aus zerstampfter Baumrinde, allerdings gehen einige Historiker davon aus, dass es nur zu zeremoniellen Gelegenheiten getragen wurde.

Eine interessantere Verwendung fand zerstampfte Rinde bei der Herstellung von grobem Papier. Dieses mesoamerikanische Papier, das so genannt wird, weil sein genauer Ursprung unbekannt ist, wurde üblicherweise aus der Rinde der wilden Feige hergestellt, die in Maiswasser gekocht, mit Kalk oder Asche behandelt und dann in dünne Streifen zerlegt wurde. Diese Streifen wurden kreuz und quer in Lagen übereinandergelegt und mit einem Stein zu einem einzigen Blatt Papier festgeklopft. Der Überzug mit einer dünnen Lage Gips gewährleistete das das Endprodukt glatt genug war, um darauf zu schreiben. Das Papier wurde insbesondere für die Herstellung von Büchern und Kodizes verwendet, die unglücklicherweise fast alle von den Spaniern zerstört wurden. Es fand Verwendung sowohl in Ritualen, aber auch um Aufzeichnung für den Handel, Tribute und andere Staatsangelegenheiten anzufertigen. Die Maya stellten noch weitere Produkte aus Pflanzenfasern her, insbesondere Matten, Körbe und Fächer. Matten waren mit dem Herrscher und mit Autorität verbunden, was ihnen eine symbolische Bedeutung verlieh. Körbe wurden meist als alltäglicher Gebrauchsgegenstand verwendet, um Dinge zu tragen, aber manchmal wurden sie auch in Zeremonien für Opfergaben an die Götter verwendet.

Nach der Auflistung von wichtigen Produkten aus zwei Hauptzweigen der Maya-Wirtschaft, wenden wir uns der dritten Branche zu, die nur auf Profiterzielung ausgerichtet war. Diese Branche ist der Handel. Es sollte klargeworden sein, dass sich ein großer Teil des Lebens der Maya um den Handel drehte, und Historiker nehmen an, dass der Handel der „Motor" war, der den Fortschritt und das Wachstum der Maya-Zivilisation antrieb. Die meisten starken Maya-Staaten erhielten ihre Macht durch die Kontrolle von Handelsrouten und sie führten oftmals Kämpfe um sie. Aber der Handel erleichterte auch die Verbindung mit anderen Regionen des Territoriums der Maya und mit den benachbarten Völkern. Als Folge davon tauschten die Maya nicht nur Güter, sondern auch Technologien und Glaubensvorstellungen miteinander aus. Das ist einer der Gründe, warum die Historiker sich so auf den Fernhandel konzentriert haben, der das heutige New Mexico mit Panama und Kolumbien verband. Die Maya hatten in diesem Handel eine zentrale Position inne. Sie exportierten und importierten fast alle Produkte, die in diesem Kapitel aufgezählt wurden mit Ausnahme von Nahrungsmitteln. Sie importierten auch Güter, die nicht so häufig in ihrem eigenen Territorium gefunden wurden wie Silber, Gold, Perlen, Kupfer, Gummi, Türkis, etc. Die Händler der Maya spielten jedoch auch eine wichtige Rolle als Zwischenhändler zwischen dem nördlichen und dem südlichen Mesoamerika und manchmal sogar noch größeren Gebieten.

Das bedeutete jedoch nicht, dass ein einzelner Maya-Händler von Panama nach New Mexico reiste. Der Fernhandel vollzog sich in Etappen wie ein Staffelrennen, bei dem die Güter von einem einzigen Händler nur über einen Teil der Route transportiert wurden. Allerdings hatten die Maya in der Frühklassik mit Teotihuacan eine Enklave rund 1600 Kilometer von ihrem eigenen Territorium entfernt. Und diese enge Verbindung mit Zentralmexiko dauerte auch dann noch an, als die Azteken zur größten Macht in der Region wurden. Ein anderer wichtiger Faktor des interregionalen Handles war, dass er die Autorität des Herrschers stärkte, da die königliche Familie meistens die Hauptressourcen, die von den Maya gehandelt wurden, kontrollierte. Wenn die Maya also Luxusgüter importierten, gingen die Produkte an den Herrscher und in einigen Fällen an die Elite. Natürlich war dies nicht die einzige Form des Handels. Es gab auch regionalen Handel unter den Maya selbst. Wie schon erwähnt, waren nicht alle Regionen des Maya-Territoriums in der Lage, alle

Produkte herzustellen oder hatten Zugang zu den gleichen Rohstoffen. Aus diesem Grund war es nötig, dass die Städte sich untereinander mit verschiedenen Produkten versorgten. Das beste Beispiel dafür ist der Austausch von Obsidian gegen Salz zwischen dem Hochland und den Staaten in Yucatán. Diese Handelsverbindungen waren offensichtlich so stark und häufig, dass sie die Maya in einer recht homogenen Zivilisation verbanden.

Das wurde von den Herrschern gefördert, die natürlich von dem Handel profitierten. Sie finanzierten und organisierten Märkte in ihren Stadtzentren und versuchten, dadurch mehr Händler anzulocken. Obwohl sich Archäologen darüber nicht ganz klar sind, ist es möglich, dass die großen und dauerhaft bestehenden Märkte unter strenger Kontrolle der Regierung standen. Ihre Beamten setzten Bestimmungen durch, schlichteten Streit und kassierten Steuern. Die Märkte wurden selbstverständlich auch von der örtlichen Bevölkerung besucht, um Güter für ihren eigenen Bedarf zu erwerben und es ist sehr wahrscheinlich, dass auch kleinere und temporäre Märkte existierten, die den lokalen Handel bedienten. Dieser dritte Typ des Handels diente dem lokalen Warenaustausch. Alle Familien waren auf eine Art der Produktion spezialisiert, so dass sie Überschüsse produzierten, die sie gegen Waren eintauschten, die ihnen fehlten. Diese Art des Handels war nicht so profitabel und wurde nicht von professionellen Händlern durchgeführt. Es waren die einfachen Leute, die miteinander Tauschhandel trieben. Wahrscheinlich war diese Art des Handels auch nicht so strikt reguliert wie die anderen beiden. Doch er war entscheidend für das Überleben der örtlichen Gemeinden und der einfachen Bevölkerung.

Mit der Kenntnis der drei Arten des Handels und der Reichweite der Händler ist es möglich, sich eine ungefähre Vorstellung davon zu machen, wie das Handelsnetzwerk der Maya aussah. Aber es gibt noch einen weiteren wichtigen Aspekt, der diskutiert werden muss - der Warentransport. Die früheste Methode, die vor allem im lokalen und teilweise im regionalen Handel verwendet wurde, war der

Transport über Land. Er wurde ohne Tiere zur Beförderung, mit menschlichen Trägern bewältigt. In einigen Fällen trugen sie Waren auf dem Rücken, in anderen trugen zwei oder mehr Träger eine Sänfte. Diese wurden auch benutzt, um reiche Reisende zu transportieren. Die Träger nutzten Pfade oder *sacbeob* (erhöhte Straßen), falls es diese auf ihrer Route gab. Relaismannschaften wurden eingesetzt, um den Transport schneller und leichter zu gestalten, besonders wenn die Ware schwer oder das Ziel weiter entfernt war. In jedem Fall war diese Art des Transports beschwerlich, langsam und im Kern ineffizient. Aus diesem Grund nutzen die Maya den Transport zu Wasser, wann immer es möglich war. Zuerst wurden Flüsse genutzt, die die Städte im Inland verbanden. Aber als sich der Schiffbau weiterentwickelte und der Handel der Maya sich weiter ausdehnte, begannen sie, auch das Meer für den Transport zu nutzen.

*Maya-Darstellung eines Mannes in einem Kanu.*
*Quelle: https://commons.wikimedia.org*

Dabei verwendeten sie Kanus, die zu Beginn des 16. Jahrhunderts nach der Beschreibung des Sohns von Christof Kolumbus zweieinhalb Meter breit und so lang wie Galeeren waren. Die Gefährte waren mit Palmdächern versehen, um Passagiere und Waren zu schützen. In der gleichen Beschreibung heißt es, dass die Kanus der Maya bis zu 25 Personen befördern konnten, was bedeutete, dass sie auch beträchtliche Mengen an Waren trugen. Dadurch wurde der Seehandel sehr gestärkt und in der Postklassischen Ära entstanden bis zu 150 Häfen an der Küste Yucatáns. Das führte dazu, dass die Handelszentren der Klassischen Ära im Tiefland an Macht und Bedeutung verloren. Einige Aspekte des Handels änderten sich über die Zeiten hinweg allerdings nicht bedeutend. Eines davon war das Zahlsystem. Es scheint, als seien Kakaobohnen das häufigste „Zahlungsmittel" gewesen. Sie galten als so wertvoll, dass sie sogar gefälscht wurden. Berichte postulieren, dass leere Bohnen mit Erde gefüllt wurden, um ein kaum unterscheidbares Zahlungsmittel zu erhalten. Wie aber die Maya-Regierungen ihren Wert kontrollierten und den Kakao als eine Art Geld schützten, bleibt für Historiker noch ein Rätsel. Neben der Zahlung mit Kakao scheint es noch andere Luxusgegenstände gegeben zu haben, die zur Zahlung verwendet wurden, ebenfalls mit einem - so scheint es - festen Marktwert. Dazu gehörten Jadeperlen und Austernschalen. Später, mit der Einführung von Metallen, begannen die Händler auch Gold und Kupfer zu verwenden. Natürlich war insbesondere auf den lokalen Märkten auch der Tauschhandel verbreitet.

Um zu gewährleisten, dass Handelsgeschäfte problemlos über die Bühne gingen, nutzten Händler Verträge, insbesondere für größere oder wertvollere Verkäufe. Diese Verträge wurden aber möglicherweise nur mündlich geschlossen, denn sie wurden mit einem öffentlichen Trunk besiegelt. Damit entstand eine Kultur der kaufmännischen Integrität. Auch die Spanier beobachteten, dass die Kaufleute der Maya vergleichsweise ehrenhaft waren. Sie konstatierten auch, dass es unter den Maya keinen Wucher gab. Alle diese Faktoren zusammengenommen zeigen, dass der Handel der Maya komplex und sehr organisiert war - überhaupt nicht primitiv wie früher angenommen. Zusammen mit der entwickelten Landwirtschaft und handwerklichen Produktion wird deutlich, dass die Maya über eine stabile und vielfältige Wirtschaft verfügten. Sie zeigt einen weiteren Teil der Zivilisation der Maya, der blühte und sie zu neuer Größe trieb.

# Kapitel 8 – Die Errungenschaften der Maya in Kunst und Kultur

Die hochentwickelte und vergleichsweise komplexe Zivilisation der Maya brachte staunenswerte Kunstwerke hervor, die Zeugnis vom hohen Reifegrad ihrer Kultur ablegen. Ihre Schöpfungen reichten von monumentaler sowie atemberaubender Architektur und Monumenten über wunderschöne und sorgfältig hergestellte Figuren, Gemälde und Bücher bis zu weniger greifbaren, gleichwohl erstaunlichen intellektuellen Errungenschaften. Mit ihnen hinterließen die Maya ihre Spuren in der mesoamerikanischen als auch der globalen Kultur; ein weiterer Grund für heutige Historiker und andere Wissenschaftler, sich der Erforschung ihrer Geschichten und Errungenschaften zu widmen. Das erste, was ihre Aufmerksamkeit fesselte, waren die großen Gebäude und Ruinen, die im wilden Dschungel zurückblieben. Die Frage, wer diese Bauten errichtet hatte, war das Geheimnis, das Historiker ursprünglich an der Maya-Zivilisation anzog. Es war darüber hinaus ein erster Schritt, die alten Vorurteile abzubauen, dass es sich bei den Eingeborenen lediglich um primitive, barbarische Stämme gehandelt habe. Auf den ersten Blick wurde klar, dass keine rückständige Gesellschaft jemals so etwas Imposantes wie die Maya-Pyramiden und Tempel hätte bauen können. Und das Interessante an dieser Tatsache ist, dass die größten Beispiele dieser Bauwerke aus der Präklassik stammen und nicht aus dem Goldenen Zeitalter. Diese Gebäude, wenn auch kleiner, behielten ihre grundlegende Form und Aussehen bei und wurden bis zur Ankunft der Spanier errichtet.

Übliche Bauwerke waren Paläste, Plattformen für Zeremonien, von meist bis zu vier Metern Höhe, Häuser für Ratsversammlungen, Arenen für Ballspiele, Gräber und Akropolen, Observatorien, Saunen und zeremonielle Treppen. Bei all diesen Bauwerken handelte es sich in der Regel um öffentliche Gebäude - mit Ausnahme der Paläste -, die typischerweise um einen zentralen Platz in der Stadt angeordnet waren. Sie spielten eine wichtige Rolle im religiösen und politischen Leben jedes urbanen Zentrums und waren mit Inschriften und anderen Arten von Dekoration versehen. Da sie ewig überdauern sollten, waren sie oft aus Kalkstein gebaut, aber auch andere Steinarten wie Marmor, Sandstein und Trachyt wurden je nach lokalem Vorkommen verwendet. In Gegenden, in denen Stein weniger verbreitet war, wurden diese Gebäude aus Lehmziegeln gebaut, die sonst für die Häuser der einfachen Bürger verwenden wurden. Als Mörtel fand Kalkzement Verwendung und Gips wurde benutzt, um die äußeren Wände zu verputzen, da sich auf ihm leichter Dekorationen anbringen ließen. Die Baumeister der Maya waren auch in der Lage, Kragbögen zu verwenden, um hohe, aber enge Eingänge und Kuppeln zu gestalten. Die umgekehrte V-Form dieser Bögen oder Gewölbe, wie sie auch genannt werden, ist eines der architektonischen Markenzeichen der Maya, da fast keine andere mesoamerikanische Zivilisation sie baute. Gebäude mit solchen Bögen ähnelten den ursprünglichen strohgedeckten Hütten, waren aber besser gekühlt - ein unbestreitbarer Vorteil im tropischen Klima. Zudem ließen die Gewölbe die Gebäude von außen eindrucksvoller erscheinen, was für die Maya immer ein wichtiger Aspekt war.

Alle diese Merkmale waren den Städten der Maya gemeinsam und unterschieden sie vom restlichen Mesoamerika. Jedoch existierten auch lokale und zeitliche Unterschiede im Stil. Beide hatten ihre Ursache in der Verfügbarkeit von Ressourcen und verschiedenen fremden Einflüssen, aber auch im individuellen Geschmack einzelner Herrscher. Aber ungeachtet der feinen Details gibt es keinen Zweifel daran, dass die Maya im Allgemeinen fähige und gut ausgebildete Maurer waren, da ihre Bauten sich nach vielen Jahrhunderten noch immer stolz in den Himmel erheben. Allerdings wurden die Details, die üblicherweise als ihr schönstes Merkmal gelten, nicht von ihnen angefertigt. Es gab spezialisierte Steinmetze, die mit der Anfertigung solcher künstlerischen Meisterwerke beauftragt wurden. Sie wurden normalerweise in Stuck ausgeführt und zeigten Szenen aus der Mythologie oder solche, die den Herrscher feierten. Oft waren beide miteinander verbunden, da die Herrscher bei der Durchführung verschiedener Rituale gezeigt wurden. Aber die Bildhauer der Maya dekorierten nicht nur die Wände. Sie nutzten ihr Können auch, um Türstürze, Altäre, Throne und insbesondere Stelen zu verzieren. Heute loben Historiker ihre Arbeiten nicht nur für ihre handwerklichen Fähigkeiten, sondern weil diese Steinmetzarbeiten eine der Hauptquellen über die Vergangenheit dieser Zivilisation darstellen.

In ähnlicher Weise wurden auch die Wandgemälde, die sich meist auf der Innenseite der Mauern befanden, zu wichtigen Quellen der Maya-Geschichte. Obwohl nicht viele gerettet werden konnten, zeigen uns jene, die bewahrt blieben, Einblicke in das Leben am Hof, rituelle Zeremonien, Kriege und Schlachten. Die Szenen sind mit lebendigen, bunten Farben gemalt, die uns daran erinnern, dass die Städte der Maya ziemlich bunte Orte gewesen waren. In der Klassischen Periode war es üblich, dass die Gemälde auf Mauern mit Text aus Hieroglyphen ergänzt wurden, um den Szenen genaueren Kontext zu verleihen. Und die Fähigkeiten der Maya-Maler waren nicht geringer als die der Steinmetze. Sie teilten nicht nur eine ähnliche, wenn nicht sogar dieselbe Bildsprache, sie weisen auch die gleichen stilistischen Charakteristiken auf. Am auffälligsten ist dabei die naturalistische und recht realistische Darstellung von Orten und Menschen. Dennoch fehlt es Menschen (auch den Herrschern) in den meisten Kunstwerken an individuellen Zügen, an denen sich ihre Gesichtszüge unterscheiden lassen würden. Ein weiterer Umstand, der sie verbindet, war, dass es ihr Hauptzweck war, die Herrscher und ihren Kult zu feiern und zu fördern, was darauf hindeutet, dass es sich bei den Auftraggebern meist um die königlichen Familien selbst handelte. Erst in der Postklassischen Ära, als der Herrscherkult ausstarb, zeigten die Szenen mehr religiöse und mythologische Themen und thematisierten die Ahnenlinien des Adels. Aber Tatsache ist, dass die Künstler nur für die Mitglieder der Elite arbeiteten und sich sehr wahrscheinlich in einem Patronagesystem befanden.

Nicht alles, was die Künstler schufen, hatte die Größe von Wandverzierungen. Sowohl Maler als auch Bildhauer arbeiteten auch an kleineren Dingen. Bildhauer stellten viele dekorative Masken her, Beile, Anhänger und Figuren aus wertvollen Steinen, insbesondere Jade. Je nach Zweck, änderten sich die Themen. In einigen Fällen sollten sie eine bestimmte Gottheit oder ein mythologisches Wesen darstellen oder die Beile wurden mit einer Darstellung des Königs versehen. Die berühmtesten Masken waren die Totenmasken ohne spezifische Gesichtszüge. Da Kunstwerke aus solch wertvollen Materialien für die weniger Glücklichen nicht erschwinglich waren, schnitzten die Maya-Bildhauer auch kleinere Holzfiguren und Bildnisse. Auch hier waren die Themen die Herrscher und häufiger noch die Darstellung von Göttern. Die Maler arbeiteten an der Verzierung verschiedener Töpferprodukte, insbesondere Vasen und Schüsseln. Ihre Kunstwerke waren abgesehen von der Größe denen der Wandzeichnungen sehr ähnlich. Zu den mit bunter Palette ausgeführten Themen gehörten Religion, Herrscher und der Hof. Sowohl Gemälde als auch Skulpturen behielten ihre naturalistische Form und einen Sinn für eine realistische Abbildung.

*Kopie eines Maya-Wandgemäldes mit restaurierten Farben.*
*Quelle: https://commons.wikimedia.org*

Im Gegensatz zu anderen Künstler, waren die Töpfer der Maya nicht darauf konzentriert, Gegenstände von höchster Schönheit herzustellen. Sie mussten sich auch auf den praktischen Nutzen konzentrieren. Daher lässt sich die Keramik der Maya in zwei Hauptgruppen unterteilen. Die Erste umfasst Gefäße, die für zeremonielle Zwecke angefertigt wurden, sie waren für die Elite und religiöse Bedürfnisse bestimmt. Diese Art von Keramik war oft polychrom, bestand aus einer Mixtur verschiedener Mineralien und war oft mit Malerei verziert. Diese Gefäße waren von aufwendiger Form und Gestalt, mit einer Bördelung an der Basis, Griffen in der Form von Menschen- oder Tierköpfen und Stützen in Form von Beinen. Einige der Gefäße waren wie Menschen- oder Tiefköpfe geformt oder bemalt. Die Töpfer stellten auch naturalistische Figuren her, die verschiedene weltliche Tätigkeiten durchführten. Sie waren meist bemalt und wahrscheinlich für den Adel bestimmt, da sie vermutlich vergleichsweise teuer waren. Gebrauchskeramik wurde eher von den niederen Klassen benutzt, da sie billiger und weniger aufwendig war. Im Gegensatz zur Keramik für die Eliten, war die Gebrauchskeramik einfarbig, mit einfacher Form und Gestalt und mit nur wenigen Dekorationen versehen, wenn sie überhaupt welche aufwiesen. Die Töpfer konzentrierten sich darauf, etwas Nützliches für den täglichen Gebrauch herzustellen und sich nicht zu sehr um Ästhetik zu kümmern. Die in Massen mit einer Gussform produzierte Keramik war für die einfachen Bürger, nicht die Elite bestimmt. Zum einen, weil sie billiger und verfügbarer war, aber auch, weil es dem Adel gefiel, dass seine Besitztümer einzigartiger waren und seine Stellung in der Gesellschaft repräsentierten.

Kleidung und Schmuck wurde die gleiche Funktion als Symbole des sozialen Status zugeschrieben, die ebenfalls Ausweis der Kunstfertigkeit der Maya-Kunsthandwerker waren. Diese werden wir jedoch in einem späteren Kapitel über das tägliche Leben der Maya behandeln, da dieser Kunstformen besser dazu geeignet sind, ihren Lebensstil zu beschreiben als künstlerische und kulturelle Errungenschaften aufzuzeigen. Die Schreibkunst und Bücher können hingegen als Gipfel der kulturellen Errungenschaften der Maya betrachtet werden. Wie zuvor erwähnt, wurden Bücher auf grobes Rindenpapier geschrieben, das mit einer dünnen Schicht Gips bestrichten war. Es gab vermutlich Tausende von Maya-Kodizes, wie ihre Bücher üblicherweise genannt werden, die in ihrer langen Geschichte verfasst wurden. Heute existieren nur noch vier dieser Kodizes, da die Spanier sie als gotteslästerlich und teuflisch ansahen und vernichteten. Alle vier beschäftigen sich mit Ritualen, Religion, Mythologie, Astronomie und Astrologie. Es ist jedoch nicht unwahrscheinlich, dass sich unter all den Kodizes, die verbrannt wurden, auch solche befanden, die sich mit ihrer Geschichte und der Vergangenheit, mit ihren wissenschaftlichen und philosophischen Erkenntnissen, Dichtung und Geschichten beschäftigten. Das werden wir jedoch leider nie mit Bestimmtheit wissen. Die Schönheit der verbliebenen Bücher hingegen ist beeindruckend, so ergänzen und untermalen wunderschöne Illustrationen etwa die Texte. Diese Zeichnungen, im Stil ähnlich wie die Gemälde, sind bunt und naturalistisch. In den vier verbliebenen Kodizes stellen sie Götter und Helden der Mythologie dar, was angesichts der Themen nicht überrascht. Die Hieroglyphenschrift ist in einer Farbe ausgeführt, meist rot oder schwarz. Selbst diese Glyphen können als Kunstmotive angesehen werden, da sie nicht weniger beeindruckend und interessant sind als die Illustrationen. Ähnlich wie moderne Bücher, waren die Seiten der Maya-Kodizes mit Umschlägen geschützt, die aus Baumrinde oder Pelz bestanden, in manchen Fällen sogar aus Jaguarfell. In dieser Hinsicht repräsentiert jedes Buch ein dieser großen Zivilisation angemessenes und einzigartiges künstlerisches Werk.

Aber Bücher und andere Maya-Texte stellen mehr als nur Kunst dar. Sie übermitteln eine Nachricht, die Raum und Zeit überwindet. Die Entwicklung eines Schreibsystems ist ein Schritt äußerster Bedeutsamkeit für die Erschaffung einer entwickelten Zivilisation. Unglücklicherweise für Historiker zerstörten die Spanier nicht nur die Bücher, sondern sie zerstörten auch die Schreib- und Lesefähigkeit der Maya, wenigstens was ihre eigenen Hieroglyphen betraf. Das ist einer der Gründe, aus denen Historiker und Archäologen lange Zeit über die Schrift der Maya gestritten haben, wobei Skeptiker behaupteten, es handele sich nicht über ein richtiges Schreibsystem, sondern eher um religiöse Illustrationen und Symbole ähnlich der christlichen Ikonographie. Nach langer und harter Arbeit vieler Generationen von Linguisten und Maya-Forschern, besteht heute jedoch kein Zweifel mehr daran, dass die Maya ein voll entwickeltes Schreibsystem hatten, eines in dem alles Gesprochene transkribiert werden konnte. Laut einiger Wissenschaftler sind die Maya die einzige präkolumbianische Zivilisation Mesoamerikas, die eine vollentwickelte Schrift besaßen, aber dieser Anspruch ist unsicher und könnte sich mit der Entzifferung anderer mesoamerikanischer Schriften als falsch erweisen.

Auch der Ursprung des Schreibsystems ist nicht eindeutig geklärt. Einige Historiker glauben, dass die Maya ihre Schrift von den Olmeken adaptierten. Die Olmeken – wie bereits erwähnt, eine der ältesten Zivilisationen Mesoamerikas – verfügten über ein

Schreibsystem, dass Wissenschaftler zurzeit erforschen. Es zeigt jedoch nicht die Charakteristiken eines vollentwickelten Systems wie die Maya-Hieroglyphen. Ein Grund für die theoretische Verbindung zwischen der olmekischen und der Maya-Schrift ist die Ähnlichkeit der Glyphen und der Schreibstil. Andere Wissenschaftler nehmen an, dass die Maya ihr Schreibsystem selbst entwickelten. Einer der Gründe für diese Annahme ist, dass die ersten Anzeichen der Maya-Protoschrift um 400 vor unserer Zeitrechnung datieren, einer Zeit, als die olmekische Zivilisation an ihr Ende kam. Die ersten erkennbaren Schriften der Maya datieren um 50 vor unserer Zeitrechnung, als die Olmeken schon längst verschwunden waren. Aber auch wenn diese Theorie richtig ist, ist es sehr wahrscheinlich, dass die Olmeken die Maya-Schrift zumindest beeinflusst haben. Was auch immer die Wahrheit ist, wir können heute festhalten, dass das Maya-Schreibsystem eine Mischung aus phonetischer und logographischer Schrift war. Das bedeutet, dass bestimmte Glyphen Silben darstellen, die aus einem Konsonanten und einem Vokal bestehen, die miteinander kombiniert jedes Wort abbilden konnten. Andere Glyphen hingegen stellten ein ganzes Wort dar. Heute sind die meisten Glyphen übersetzt worden, aber es werden ständig weitere, neue Entdeckungen gemacht. Dank dieser wichtigen Aufarbeitung sind Historiker heute in der Lage fast alle Maya-Texte entziffern und übersetzen zu können.

*Seiten aus einem der Maya-Kodizes.*
*Quelle: https://commons.wikimedia.org*

Text wurde nicht nur in Bücher geschrieben, sondern auf fast alles: von Mauern und Monumenten bis zu Keramik, Äxten und Steinwerkzeugen. Auf größeren Objekten und Wänden erzählte er eine Geschichte, vielleicht übermittelte er eine komplexe Nachricht über die Errungenschaften eines Königs oder Details über ein bestimmtes Ritual. Auf kleineren Objekten, wie Bechern oder Vasen bezeichnete er einfach den Hersteller oder den Besitzer. Texte fanden sich auch auf Märkten und markierten Bereiche und Stände mit dem Namen der Produkte, die dort verkauft wurden. Die weitverbreitete Benutzung der Schrift, insbesondere auf Objekten, die nichts mit der königlichen Familie und der Elite zu tun hatten, wirft die Frage nach der allgemeinen Schreib- und Lesefähigkeit der Maya vor der spanischen Eroberung auf. Natürlich lässt sich die Frage nicht genau beantworten, aber einige Historiker sind der Ansicht, das zumindest eine grundlegende Lese- und Schreibfähigkeit unter der Bevölkerung recht verbreitet war. Ansonsten wäre es sinnlos gewesen, Objekte und Orte zu beschriften. Eine voll ausgebildete Lese- und Schreibfähigkeit war jedoch auf die höheren Klassen mit ihren speziell ausgebildetetn Schreibern begrenzt, vor allem wenn man daran denkt, dass es 800 Glyphen gab, von denen 500 regelmäßig benutzt wurden. Aber als die Spanier ihren kulturellen Krieg gegen die Maya fochten, fanden die Maya einen Weg, um wenigstens einen Teil ihres Erbes, ihrer Mythologie und ihrer Traditionen zu bewahren. Er bestand darin, dass die Maya lernten, das lateinische Alphabet zu verwenden und einige ihrer urprünglichen Werke zu transkribieren. Diese Bücher wurden vom spanischen Klerus nicht immer als teuflisch angesehen und so überlebten einige, obwohl man wohl annehmen darf, dass die Europäer die Maya nicht zur Erhaltung ihrer Kultur ermutigten. Das berühmteste Beispiel der Maya-Literatur, das in Latein transkribiert wurde, ist das Popol Vuh, das aller Wahrscheinlichkeit nach während der zweiten Hälfte des 16. Jahrhunderts geschrieben wurde.

Die intellektuellen und kulturellen Errungenschaften der Maya endeten aber nicht bei der Schrift. Sie waren auch ausgezeichnete Astronomen, die wahrscheinlich damit begannen, den Sternenhimmel zu erforschen, um ihre Götter preisen zu können. Aus diesem Grund sind einige der am häufigsten gefundenen Bauwerke in allen größeren Maya-Städten Observatorien. Nach einer Weile begannen die Beobachter bestimmte Muster auszumachen und sie mit größter Genauigkeit aufzuzeichnen. Nur mit dem bloßen Auge, Schnüren und Stöcken berechneten sie, dass der Umlauf der Venus um die Sonne 584 Tage dauerte. Heutige Astronomen haben ihn auf genau 583,92 Tagen bemessen, womiz die Fehlermarge der Maya bei nur 0,01 % liegt. Natürlich verfolgten sie auch die Bewegungen anderer Himmelskörper, die benutzt wurden, um wichtige Gebäude wie Tempel oder Paläste auszurichten, mit der Position der Sonne auf dem Horizont an den Sonnenwenden und der Tagundnachtgleiche als auch mit ihrem höchsten Durchgang. Aber noch häufiger wurden die Bewegungen und Positionen der Himmelskörper für Prophzeiungen und Weissagungen benutzt. Die Himmelsbeobachter waren also eine Mischung aus Astronomen und Astrologen. Ein bereits erwähntes Beispiel für diesen Brauch ist, dass sie einen Blick auf die Position der Venus warfen, bevor sie in den Krieg zogen. Sie glaubten, dass es die Götter verärgern und Misserfolg bringen würde, wenn der Planet während der Kämpfe nicht am Nachthimmel stehen würde. Sie gingen noch weiter und erschufen ihren eigenen Tierkreis, indem sie den Himmel in Sektionen und Konstellationen einteilten. Sehr wahrscheinlich nutzten sie ihn wie alle alten Kulturen und wie er heute auch noch genutzt wird, um das Schicksal und zukünftige Geschehnisse vorherzusagen. Aber die genauen Einzelheiten über die Zahl und die Positionen der Maya-Konstellationen, ihre himmlischen Zeichen und ihre Positionen am Nachthimmel sind unbekannt und Gegenstand fortwährender Debatten.

Mit ihren Fähigkeiten der Himmels- und Naturbeobachtung waren die Maya in der Lage, ausgezeichnete Zeitmesser zu werden. Zu diesem Zweck verwendeten sie ein kompliziertes System, das drei verschiedene Kalender miteinander kombinierte. Allerdings darf dieses System nicht als eine reine Entwicklung der Maya betrachtet werden. Fast alle mesoamerikanischen Nationen benutzten es und wahrscheinlich stammte es von den Olmeken, obwohl es dafür noch keinen schlüssigen Beweis gibt. Deshalb sind Begriffe wie „der Maya-Kalender" nicht korrekt und sollten durch „der mesoamerikanische Kalender" ersetzt werden. Der kürzeste der drei Kalender trug den Namen *Tzolk'in* und umfasste 260 Tage, unterteilt in 13 „Monate" mit je 20 Tagen. Wissenschaftler haben für diese Zeitspanne bisher keine astronomische Erklärung gefunden, es wurde vermutet, dass sie mit der Dauer der menschlichen Schwangerschaft in Verbindung steht, die üblicherweise 266 Tage dauert. Auch heute findet diese Zeitrechnung bei den Frauen der Maya Verwendung. Eine andere mögliche Erklärung ist die Dauer der Mais-Kultivierung, eine Zeitdauer von der Pflanzung dieses wichtigen Getreides bis zu seiner Ernte. Der Hauptzweck dieses Kalenders scheinen jedoch Weissagungen und Prophezeiungen gewesen zu sein. Die Maya-Kodizes enthalten Hinweise darauf in Form von *Tzolk'in* Almanachen. Diese wurden von den Weissagern benutzt, um die

Herrscher zu beraten, bevor sie eine wichtige Entscheidung trafen. Noch heute benutzen ihn die Maya, um das Datum einer Hochzeit oder einer Geschäftsreise festzulegen, also ist es nicht unwahrscheinlich, dass ihre Vorfahren dies ebenfalls taten.

Weniger religiösen, sondern mehr praktischen Nutzen hatte der zweite Kalender der Maya, der *Haab'* genannt wurde. Er umfasste 365 Tage und stimmte mit dem Sonnenjahr überein. Er war in 18 Monate mit je 20 Tagen unterteilt, wobei am Ende fünf Tage dazukamen. Aufgrund seiner Struktur nennen Wissenschaftler ihn heute den „ungefähren Jahreskalender". *Haab'* wurde hauptsächlich für die Landwirtschaft benutzt, da die Namen der Monate auf eine Teilung des Kalenders nach Jahreszeiten hindeuten. Trockene und Regenmonate wurden zusammengruppiert, ebenso wie Erdenmonate und Maismonate. Die fünf am Jahresende hinzugefügten Tage hießen *Wayeb'* und galten in ganz Mesoamerika als Unglückstage. Man glaubte, dass während dieser fünf Tage die Verbindungen zwischen der Unterwelt und dem Reich der Lebenden stärker waren. Nichts hinderte die Götter oder andere Wesen daran, in die Welt zu kommen und Tod und Zerstörung zu bringen. Aus diesem Grund zelebrierten die Maya verschiedene Rituale, um die Zerstörung ihrer Welt zu verhindern und die Ankunft des neuen Jahres zu gewährleisten.

Die Benutzung von zwei unterschiedlichen Kalender hätte die Maya verwirren können und sie fanden einen Weg, das zu vermeiden. Sie schufen die sogenannte Kalenderrunde und kombinierten die Daten aus dem *Tzolk'in* mit denen aus dem *Haab'*. Das Datum wiederholte sich nach 52 *Haab'*- oder 73 *Tzolk'in*-Jahren und ergab daher eine Kalenderrunde. Aber es gab noch ein weiteres Problem mit diesen beiden Kalendern, das darin bestand, lange Zeitperioden zu messen, weil es möglich war, spezifische Daten innerhalb verschiedener Kalenderrunden zu verwechseln. Das kann man mit der Art und Weise vergleichen, in der wir manchmal unsere Daten schreiben. Wenn wir „3.5.18" schreiben, können wir uns auf den 3. Mai 2018 oder den 3. Mai 1918 beziehen. Um diese Verwirrung auszuschließen, nutzten die Maya die zyklische mesoamerikanische *Lange Zählung*, die oft fälschlicherweise als Maya-Kalender bezeichnet wird. Die Basis dieses Kalenders war *Haab'* und die Zählung begann bei einem Tag (*k'in*), ging über einen Monat (*winal*) von 20 Tagen bis zu einem Jahr (*tun*), das aus 18 *winal* bestand. Ein *tun* bestand aus 360 Tagen und schloss die unglücklichen 5 *Wayeb'* nicht ein, da sie nicht als echter Teil des Jahres gezählt wurden. Die Zyklen setzen sich mit dem *k'atun* (20 *tun* bzw. Jahre) und dem *b'ak'tun* fort, der 20 *k'atun* oder etwa 394 Jahre dauerte. Der Maßstab setzt sich so fort, jeder neue Zyklus dauert 20 Mal so lange wie er vorherige. Der letzte (neunte) Zyklus namens *alautun* dauert etwas über 63.000 Jahre. Die Maya begnügten sich normalerweise mit der Zählung bis *b'ak'tun*, wenn sie ihre Daten aufschrieben. Aus diesem Grund werden Daten der Langen Zählung durch eine Reihe von neun Zahlen geschrieben, wobei die erste *b'ak'tun* bezeichnet und die letzte *k'in*. Heutige Wissenschaftler notieren die Daten in der gleichen Weise, z.B. würde der 22. Januar 771 unserer Zeitrechnung 9.17.0.0.0. geschrieben, wobei jede Zahl einen einzigen Zyklus bezeichnet.

Die Zyklen werden von der mythologischen Erschaffung der Welt an gezählt, die nach Schreibweise des Gregorianischen Kalenders auf den 11. August 3114 vor unserer Zeitrechnung datiert. Und ähnlich dem Ende des *Haab'*-Kalenders verehrten die Maya jeden weiteren wichtigen Zyklus. Eine Fehlinterpretation der Maya-Tradition und der Langen Zählung führte zum heute berüchtigten Medienhype um das Ende der Welt im Jahr 2012. Nach einem Maya-Text ist die Welt, in der wir heute leben, die vierte Wiederholung, wobei die vergangenen drei jeweils nach 13 *b'ak'tun* endeten. Und am 21. Dezember 2012 kam der 13. *b'ak'tun* nach 3114 vor unserer Zeitrechnung an sein Ende. Einige Menschen sahen sich veranlasst, das als die Maya-Prophezeiung für das Ende der Welt zu interpretieren, obwohl dies nirgendwo ausdrücklich erwähnt wird. Möglicherweise haben die alten Maya dieses Datum als religiös bedeutsam erachtet, aber es gibt keine klaren Anzeichen, dass sie es als den Beginn der Apokalypse gesehen hätten. Es ist wahrscheinlicher, dass das Datum für sie nur das Ende eines weiteren Zyklus ihres Kalenders war. Vermutlich hätten sie ein Ritual zelebriert oder eine Zeremonie abgehalten und zu den Göttern um Glück für den neuen Zyklus gebetet. Die zyklische Natur ihres Kalenders beeinflusste die Art und Weise, wie die Maya über die Geschichte und die Natur um sie herum dachten. Alles hatte seinen Beginn und seinen Anfang, nichts war von Dauer und alles wiederholte sich.

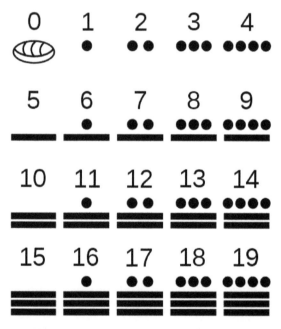

*Beispiel für die Zahlen der Maya. Quelle: https://commons.wikimedia.org*

Ein wichtiges Konzept in allen drei Kalendern war die Verwendung der Zahl 20. Monate dauerten 20 Tage und in der Langen Zählung basierten die Zyklen ebenfalls auf 20, mit der Ausnahme, dass ein *tun* aus 18 *winal* bestand. Das mag für die meisten von uns seltsam erscheinen, da unser numerisches System das Dezimalsystem ist und auf der 10 basiert. Aber die Maya wie auch die meisten Mesoamerikaner nutzen das auf der 20 basierende

Vigesimalsystem (Zwanzigersystem). Die Maya verwendeten nur drei numerische Symbole. Ein Punkt stellte die Zahl 1 dar, ein horizontaler Balken war 5 und die Muschelglyphe stellte die 0 dar. Mit diesen drei Zeichen stellten sie jede Zahl zwischen 0 und 19 dar, so bestand die Zahl 16 zum Beispiel aus drei übereinanderliegenden Balken mit einem Punkt darüber. Und wenn die Maya darüber hinausgehen wollten, fügten sie eine Linie darüber ein, was bedeutete, dass die Zahlen auf dieser Linie mit 20 multipliziert wurden. Die Zahl 55 wurde zum Beispiel mit zwei Punkten auf der oberen Linie dargestellt, also 2 x 20 und drei Balken auf der Linie darunter, die 15 ergaben. Die Maya konnten so viele Linien hinzufügen, wie sie wollten, und jede Linie wurde mit 20 multipliziert. Sie dritte Linie wurde also mit 400 multipliziert, die vierte mit 8000.

Obwohl das Zwanzigersystem interessant ist, ist die Verwendung der 0 wichtiger. Ähnlich wie die beiden Kalender und das numerische System, wurde auch die Muschelglyphe 0 in ganz Mesoamerika verwendet, wobei der Ursprung der Glyphe im Dunkeln liegt. Einige nehmen an, dass die Olmeken sie geschaffen haben, während andere sie den Maya zuschreiben, sie mag aber auch aus einer andern mesoamerikanischen Zivilisation stammen, die im letzten Jahrtausend vor unserer Zeitrechnung blühte. Die Muschelglyphe wurde zuerst in den Daten der Langen Zählung aus dem ersten Jahrhundert vor unserer Zeitrechnung entdeckt, wo sie als Platzhalter für die Abwesenheit eines besonderen kalendarischen Datums diente, aber es ist wahrscheinlich, dass sie schon früher entstanden war. Im vierten Jahrhundert unserer Zeitrechnung hatte sie sich zu einer richtigen Zahl entwickelt, die für Berechnungen verwendet wurde. Und sie wurde benutzt, um Zahlen zu schreiben. Die Zahl vierzig wurde zum Beispiel mit zwei Punkten auf der zweiten Linie und der Muschelglyphe darunter geschrieben. Heute wirkt das System verwirrend und es scheint, dass es einer Menge an Rechnerei bedurfte, aber in Wirklichkeit war es recht praktisch. Die Quellen berichten, dass die Maya-Händler Bohnen oder Kerne verwendeten und große Mengen notieren und berechnen konnten, was das System vergleichsweise effizient machte. Das scheint auch im Vergleich mit dem alphabetischen System der alten Griechen und Römer zuzutreffen. Und es ist wiederum ein Zeichen, wie fortschrittlich und kompetent die Maya waren, obwohl sie so lange für Barbaren gehalten wurden.

# Kapitel 9 – Religion und Rituale der Maya-Gesellschaft

Religion spielte in fast allen alten Gesellschaften eine wichtige Rolle und die Maya waren keine Ausnahme. Religion durchdrang jeden Teil des Lebens, von täglichen Ärgernissen und Hoffnungen der einfachen Bürger über Angelegenheiten des Handels, der Landwirtschaft und der Wirtschaft bis hin zu Staatsangelegenheiten wie Krieg oder dem Herrscherkult. Alles wurde geleitet und beeinflusst von Omen, der Vergangenheit und Voraussagen der Zukunft, welche allesamt tief in den Glaubensvorstellungen der Maya verwurzelt waren. Aus diesem Grund waren Männer des Glaubens ein wichtiger Bestandteil ihrer Gesellschaft. Der erste Typus solcher heiligen Männer, die in der Maya-Gesellschaft auftauchten, waren die Schamanen. Ihre Ursprünge lassen sich bis in die vor-zivilisierte Gesellschaft der Maya-Vorfahren zurückverfolgen. Durch ihre Beobachtung der Natur und der Sterne spielten sie eine entscheidende Rolle für die Entwicklung der Grundlagen des Kalenders. Sie nutzten dieses Wissen, um Regen vorauszusagen, die richtige Zeit für die Aussaat des Getreides festzulegen, Krankheiten mit Kräutern zu heilen und natürlich Weissagungsrituale durchzuführen. In der frühen Zeit stellen die Schamanen zudem die

Verbindung sowohl mit den Vorfahren als auch mit den Göttern her. Sie verfügten über ein hohes Maß an Macht und Ansehen. Aber mit der steigenden Komplexität der sich herausbildenden Maya-Zivilisation verwandelten sich die meisten der frühen Schamanen in eine Elite von religiösen Vollzeitspezialisten, welche wir Priester nennen. Dennoch starb die Rolle der Schamanen nicht gänzlich aus, da auch viele einfache Bürger diese Rolle in ihren Gemeinschaften übernahmen. Sie füllten ähnliche Rollen wie zuvor aus, aber sie agierten nur auf lokaler Ebene und kümmerten sich um die Bedürfnisse ihrer Mitmenschen.

Im Gegensatz zu den Schamanen waren Priester, die jetzt Mitglieder des Adels waren, verantwortlich für das Wohlergehen des gesamten Staates. Sie organisierten die Kalender, machten Voraussagen über wichtigere Staatsangelegenheiten, verwalteten die Bücher über die Vergangenheit und die Zukunft, zelebrierten öffentliche Rituale und Zeremonien. Diese Aktivitäten und Verantwortlichkeiten waren mit dem Wohlstand des Herrschers und des gesamten Staates verbunden. Mit diesen Aufgaben und ihrer Bedeutung gewannen Priester sowohl an politischer als auch an sozialer Macht. Da die Zahl der politischen und Regierungsämter begrenzt war, sahen viele Nachkommen der Eliten und königlichen Familien diese Funktionen als eine Möglichkeit, die Position, in die sie geboren worden waren, zu behalten. Allerdings genügte es nicht, als Adliger geboren zu sein, um ein Priester zu werden. Alle Anwärter mussten eine Phase des Lernens und der Ausbildung durchlaufen, um vollwertige Priester zu werden. Danach legten sie ihre aufwendigen und umwerfenden Roben an und – durch die vielen öffentlichen Rituale, die sie zelebrierten – flößten sie den Massen Ehrfurcht und schließlich Gehorsam gegenüber dem Staat und dem König ein. Gleichzeitig berieten sie ihre Herrscher und halfen ihnen, den richtigen Weg zu finden, um ihre Gemeinschaften in die Zukunft zu führen.

Die Bedeutung der Priester in religiösen Angelegenheiten wurde jedoch von niemand anderem als dem König überschattet. Der Herrscher war gleichzeitig der oberste Priester. Er war nicht nur damit beauftragt, seine Untertanen vor Schaden in der materiellen Welt zu bewahren, sondern vor dem Leiden, welches durch das Geisterreich verursacht wurde. Auch er führte verschiedene Rituale und Prophezeiungen durch, um die Götter zu befrieden, den Erfolg seines Staates zu sichern und schließlich die Ordnung des Universums zu bewahren. Wie in den vergangenen Kapiteln erwähnt, führte diese Verbindung von religiöser und politischer Macht zu einem Herrscherkult, was viele dazu veranlasst hat, die Maya-Herrscher auch als Schamanenkönige zu bezeichnen. Um die religiöse Seite der königlichen Herrschaft zu betonen, trugen die Herrscher Roben mit den Symbolen verschiedener Gottheiten sowie Zepter und Kopfschmuck, die mit einigen Göttern assoziiert wurden. Sie gingen jedoch noch weiter und behaupteten, selbst göttlich zu sein, entweder als direkte Nachfahren der Götter oder zumindest als ihre Stimme auf Erden. Die Herrscher stellten sich als das Zentrum des Universums dar, in der sich alle weltlichen Ebenen verbanden, um die Kräfte auszubalancieren. Letztendlich gelang es nur durch den Herrscher und durch seine Rituale die übernatürlichen Kräfte mit dem Leben der Menschen zu verschmelzen und dadurch Religion und Politik in einer unauflöslichen Verbindung zu vereinen.

*Figur eines Maya-Priesters. Quelle: https://commons.wikimedia.org*

Für die Maya existierte die Verbindung zwischen den übernatürlichen Ebenen und der materiellen Welt auch in der Natur. Die mächtigsten waren die Berge und die Höhlen, da sie magische Portale zu Orten der anderen Welt enthielten. Die Berge wurden üblicherweise mit den Göttern und dem Himmelreich in Verbindung gebracht, sie repräsentierten das Gute und die Stärke (Fruchtbarkeit) und wurden für den Ursprung des Mais gehalten. Höhlen andererseits spielten eine duale Rolle in der Religion. Da sie ins Innere der heiligen Berge führten, wurden sie ebenfalls als Orte möglicher Fruchtbarkeit gesehen. Gleichzeitig aber waren sie Portale in die Unterwelt, was sie zu gefährlichen Orten machte. In Yucatán spielten *cenotes* eine ähnliche Rolle wie Höhlen und sie wurde als genauso heilig angesehen, weshalb man verschiedene Opfergaben hineinwarf. Um die übernatürlichen Mächte dieser Orte zu ernten und sie in die Städte zu transportieren, bauten die Maya Pyramidentempel, die heute einige der berühmtesten Überbleibsel ihrer Zivilisation darstellen. Die Pyramiden stellten die Berge dar. Und in einigen Fällen gab es innerhalb der Pyramiden Kammern, die die Höhlen darstellten. In einer der Pyramiden war diese Kammer eine echte Höhle, über der der Tempel errichtet wurde. Auf die Spitze der Pyramide setzten die Maya den eigentlichen Tempel, das Haus des Gottes, wie sie ihn nannten.

Hier verbanden sich die Priester und Könige so direkt wie möglich mit den Göttern und ihrem Reich. Nicht alle Tempel standen auf der Spitze von Pyramiden, besonders nicht in den kleineren Städten und Dörfern. Dort ähnelten sie eher den Häusern und stellten die Verbindung mit den Vorfahren dar. Ihnen wurden nicht so große übernatürliche Kräfte zugeschrieben. Die Maya bauten auch kleine Schreine, manchmal sogar auf den Bergen, die sie anpriesen. Die Pyramidentempel stellten den mächtigsten Ort für die Kommunikation mit den Göttern dar, sie wurden für die zentralen öffentlichen Zeremonien benutzt. Dabei konnte es sich um eintägige Veranstaltungen handeln oder große Feiern, die mehrere Tage und Nächte andauern konnten. An diesen Zeremonien nahmen hunderte oder tausende von Menschen teil, sehr wahrscheinlich auf den offenen Plätzen, die sich vor den Tempeln befanden. Die Zeremonien wurden von den Königen und Priestern durchgeführt, die als Götter verkleidet waren und vermutlich im Zustand religiöser Ekstase deren Identität annahmen. Sie führten die Zeremonien an und zelebrierten die Rituale, die dem Zweck dienten, eine Verbindung zu den übernatürlichen Kräften herzustellen. Währenddessen musizierte, tanzte, aß und trank die Bevölkerung. Aber nicht alle Zeremonien waren Staatsangelegenheiten. Es gab eine ganze Reihe von Zeremonien, die einfache Bürger und Dörfer einschloss. Aber alle Zeremonien, auch wenn sie klein waren, folgten einem ähnlichen Muster. Die Gemeinschaft versammelte sich, aß und trank und tanzte gemeinsam, während der Schamane, geschmückt mit den Symbolen der Götter, versuchte, mit den Göttern und Vorfahren zu kommunizieren.

Ungeachtet der Ebene, auf der diese Zeremonien stattfanden, mussten sie in der richtigen Weise durchgeführt werden. Zunächst wurde durch Weissagung das richtige Datum ermittelt. Daraufhin unterzogen sich all jene, welche die Zeremonie durchführten (oder auch alle Beteiligten), einer mehrtägigen Zeit des Fastens und der Enthaltsamkeit, die die spirituelle Reinigung symbolisierte. Die meisten Zeremonien bestanden aus ähnlichen Ritualen, am verbreitetsten waren Formen von Weissagungen, die die bösen Mächte vertrieben, Musik und Trank, Opfer an die Götter, Aderlass, Essen oder auch die Verwendung wertvoller Materialien. Während der Rituale wurde üblicherweise Weihrauch verbrannt, dessen Rauch – so nahmen die Maya an – dazu beitrug, die Nachricht oder die Bitte direkt an die Götter im Himmel zu übermitteln. Es war nicht unüblich, dass Schamanen, aber auch Priester und Könige, halluzinogene Substanzen zu sich nahmen, um tranceartige Zustände hervorzurufen. Die Bevölkerung und die örtlichen Schamanen nahmen zu diesem Zweck in der Regel starke alkoholische Getränke und wilden Tabak zu sich, der stärker war, als der heute gerauchte Tabak, während die „professionellen" hochrangigen Priester verschiedene Pilze konsumierten, die psycho-aktive Substanzen enthielten und intensive psychische und körperliche Zustände hervorriefen. Die Halluzinationen, die die Männer des Glaubens in diesen Zuständen hatten, und die Erfahrungen, die sie machten, wurden als Kommunikation mit den Göttern betrachtet. Die übernatürlichen Nachrichten waren entweder Voraussagen der Zukunft oder mögliche Antworten auf die Fragen und Probleme, um deren Lösung man sie gebeten hatte.

In bestimmten Fällen war es notwendig, dass für eine Zeremonie neue und unbenutzte Kleidung und rituelle Gegenstände verwendet wurden. Für diese besonderen Zeremonien wurden alle Gegenstände speziell angefertigt. Von Bedeutung war auch das Wasser, das in vielen Ritualen verwendet wurde. Aber auch für Rituale, bei denen die Objekte und Kleidung nicht neu sein mussten, mussten die Gegenstände erst mit dem Rauch von brennendem Weihrauch gereinigt werden. Wenn die Zeremonie von großer Bedeutung war, holten die heiligen Männer der Maya frisches, „jungfräuliches" Wasser aus den Höhlen. Ein weiterer wichtiger Bestandteil aller Zeremonien war Musik. Die archäologischen Funde zeigen, dass Perkussionsinstrumente am verbreitetsten waren, verschiedene hölzerne Trommeln, Trommeln aus Schildkrötenpanzern und Klappern aus Kürbis und Knochen. Daneben gab es Flöten aus Holz oder Lehm, Okarinas, Muscheltrompeten und Pfeifen. Musik war zentral für die Eröffnungsprozession der Priester, mit der eine Zeremonie üblicherweise begann, aber auch, um bestimmte Teile der Rituale zu unterstreichen. Die Maya nahmen wahrscheinlich an, dass die Musik den Göttern gefiel und den Erfolg der Zeremonie wahrscheinlicher machte. Und natürlich war die Musik auch für die Begleitung der rituellen Tänze, die während der Zeremonie aufgeführt wurden, wichtig.

Die Tänze waren für die Maya zweifellos keine Unterhaltung, sondern eine recht ernste religiöse Praxis. Die Tänzer waren als jene Götter gekleidet, mit denen man eine Verbindung herstellen wollte, und führten wichtige Szenen aus ihrer Mythologie auf. Sie tanzten sich derart in Ektase, dass sie das Gefühl bekamen beinahe zur besagten Gottheit zu werden. Die Tänzer sammelten dadurch die Lebenskraft der sie umgebenden Natur, welche schließlich für die Interaktion zwischen den Reichen notwendig war. Neben der mit religiösen Symbolen geschmückten Kleidung trugen die Tänzer häufig Zepter, Banner, Stäbe, Speer, Klappern und sogar lebendige Schlangen. Kunstwerke zeigen, dass die rituellen Tänzer unter anderem Könige, Priester, Adlige und sogar Krieger waren. Es ist allerdings auch wahrscheinlich, dass die örtlichen Schamanen während ihrer Rituale tanzten, um mit den übernatürlichen Kräften in Kontakt zu treten. Die Tänze unterschieden sich voneinander, da sie spezifisch auf eine

Zeremonie zugeschnitten waren und ein bestimmtes Ziel anstrebten. Auch vor Schlachten wurden Tänze aufgeführt, um für Glück und Sieg zu beten. Die Tänze wurden in der Regel von mehr als einem Tänzer aufgeführt. In einigen Fällen führte einer der Tänzer den Tanz an oder spielte eine zentrale Rolle. Auf einigen Schnitzereien sind Tänzerinnen abgebildet, aber es scheint, als seien sie nicht so häufig wie Tänzer gewesen. Gleichgültig wie komplex und durchdacht diese Rituale jedoch waren, würden sie die Götter ohne zusätzliche Opfergaben nicht erfreuen.

*Ein Wandgemälde zeigt Musiker der Maya während einer Zeremonie. Quelle: https://commons.wikimedia.org*

Rituelle Opfer für die Götter variierten je nach Bedeutung und Dringlichkeit des Rituals. Für weniger wichtige und häufiger durchgeführte Zeremonien und Gebete waren weniger wertvolle und symbolische Gegenstände ausreichend, wie sich an den Opfergaben der heiligen *cenote* von Chichén Itzá zeigt. Die Maya glaubten, dass das, wonach die Götter verlangten Lebenskraft war. Am unteren Ende der Skala von Opfergaben standen Pflanzen, da man "Pflanzenblut" für ein zwar geringes, aber potentes Opfer hielt. Mit Zunahme der Bedeutung der Rituale wuchs auch die Größe und Macht der Opfergaben, bzw. wessen Blut geopfert wurde. So genügte zum Beispiel in einer Dorfzeremonie, die von einem einfachen Schamanen durchgeführt wurde, ein Vogel oder ein kleiner Affe als

Opfergabe. Für eine größere Staatszeremonie, die von einem Priester durchgeführt wurde, wurde wahrscheinlich ein Hirsch oder gleich mehrere geopfert. Aber ungeachtet, wie mächtig das Tier war: menschliches Blut galt als die stärkste Opfergabe, die dargebracht werden konnte. Ein ritueller Aderlass war unter Mayas aller Klassen verbreitet, aber wenn die Eliten es taten, geschah es meist für das Wohlergehen des gesamten Staates und seiner Bevölkerung. Am häufigsten wurde Blut aus der Hand genommen, aber es gibt Abbildungen, in denen gezeigt wird, dass es auch anderen Körperstellen entnommen wurde wie zum Beispiel der Zunge oder der Wange. Es gibt auch Hinweise, dass Könige in einigen Ritualen Blut aus ihrem Penis entnahmen, wahrscheinlich ein Versuch, um für größere Fruchtbarkeit zu beten. Das Blut wurde meist mit Borkenpapier aufgenommen und verbrannt oder auf die Idole, die die Götter darstellten, aufgetragen.

Aber auch der selbstzugefügte Aderlass war nicht immer genug. Aus diesem Grund opferten die Maya auch Menschen, was zum bekanntesten und berüchtigtsten Aspekt ihrer Zivilisation und Religion wurde und ein weiterer Grund war, warum sie lange Zeit als Wilde angesehen wurden. Da es nichts Stärkeres als ein ganzes menschliches Leben gab, war dies für die Maya jedoch nur eine logische Fortführung ihrer Opfer an die Götter. Es war das höchste Opfer. Dabei handelte es sich jedoch nicht um ein alltägliches Ereignis. Es wurde nur zu ganz besonderen Anlässen vollzogen wie zur Krönung eines neuen Königs, um seine Herrschaft zu segnen und ihn mit den Göttern zu verbinden, oder wenn ein neugebauter Tempel geweiht werden musste. Menschenopfer wurden auch in Zeiten großer Gefahr oder großer Not dargebracht, sei es Trockenheit, Hungersnot, ein Krankheitsausbruch oder ein großer und gefährlicher Krieg. Die meisten Geopferten waren Mitglieder der Elite des Feindes, die während des Kriegs gefangengenommen worden waren. Wie wir schon erfahren haben, war die Gefangennahme von Feinden eines der Hauptziele der Maya-

Kriegsführung. Die Geopferten stammten seltener aus den niedrigeren Klassen und noch seltener war es der König des Gegners. In furchtbaren Situationen, wenn keine Gefangenen zur Verfügung standen, kamen die Opfer als letzter Ausweg, aus der eigenen Bevölkerung, wahrscheinlich in sozial aufsteigender Reihenfolge, das heißt zunächst vermutlich aus den niedrigeren Klassen, bevor dann schließlich die Elite an der Reihe war. Dabei ist es jedoch nicht klar, ob die Opfer Freiwillige waren, sie gezwungen wurden oder ob es eine Mischung von beidem war. Da die meisten Geopferten Kriegsgefangene waren, wurden häufiger Männer geopfert, aber es gibt auch Hinweise darauf, dass sowohl Frauen als auch Kinder den Göttern als Opfer dargebracht wurden.

Obwohl man zu Beginn wahrscheinlich die Opfer enthauptete, wurden die Opferungen mit der Zeit grausiger und blutiger. Man band die Gefangenen an Pfosten und schlitzte ihnen die Bäuche auf oder richtete sie mit einem Hagel aus Pfeilen hin. In späteren Zeiten begann man durch den Einfluss aus Zentralmexiko, den Gefangenen die noch schlagenden Herzen herauszureißen und opferte den Göttern so den Kern des menschlichen Lebens. In Chichén Itzá wurden in der Postklassischen Ära Gefangene geopfert, indem man sie in die heilige *cenote* warf. Die Opfer wurden entweder durch den Sturz aus zwanzig Meter Höhe getötet oder ertranken, möglicherweise wurden sie zusätzlich von Steinen nach unten gezogen. Während der späteren Zeit wurde ebenfalls eine weitere Praxis aus Zentralmexiko eingeführt. Die Maya begannen, ihre Opfer mit ritueller blauer Farbe zu bemalen. Schließlich wurde auch das berühmte mesoamerikanische Ballspiel, das auf speziell hergerichteten Spielfeldern gespielt wurde, benutzt, um Menschenopfer zu vollziehen. Um die genauen Details und seinen genauen Zweck streiten die Historiker noch, aber es ist klar, dass es wenigstens teilweise religiöse Bedeutung hatte. Einige Wissenschaftler nehmen an, dass die Mannschaften, die gegeneinander spielten und versuchten, den Ball ohne die Benutzung von Händen und Armen durch einen Ring zu spielen, eigentlich berühmte Schlachten der Geschichte und der Mythologie nachspielten. Es wird auch vermutet, dass die Spielzüge im Spiel den Bewegungen der Sonne und des Mondes entsprachen, während das Spielfeld selbst als die Darstellung der Unterwelt oder deren Tor galt.

*Eine Vase der Maya mit der Darstellung eines Menschenopfers.*
*Quelle: https://commons.wikimedia.org*

Es wird vermutet, dass das Verliererteam oder wenigstens sein Anführer nach Spielende den Göttern geopfert wurde. Das ließ die Wissenschaftler annehmen, dass die Spieler wie andere Opfer auch, Gefangene waren. Aber einige Anzeichen, meist die auf Abbildungen gezeigte Ausrüstung, deutet darauf hin, dass das nicht immer der Fall war. Es ist auch möglich, dass freie Bürger freiwillig in dem Wissen, dass sie möglicherweise geopfert wurden, an dem Spiel teilnahmen, entweder aus religiöser Überzeugung heraus oder einfach durch den Versuch, sich selbst zu beweisen und auf der sozialen Leiter nach oben zu steigen. Es sollte aber darauf hingewiesen werden, dass das Ballspiel keine rein religiöse Veranstaltung war. Einige Historiker sehen darin den Versuch, Streitigkeiten zwischen verschiedenen Gemeinden zu regeln, die zum selben Gemeinwesen gehörten. Was immer auch die Wahrheit gewesen sein mag, eines war sicher – Opfer oder nicht – jeder starb schließlich und der Tod war ein gewichtiger Teil der Maya-Religion. Aus diesem Grund wurden Begräbnisrituale als sehr wichtig erachtet.

Die übliche Praxis unabhängig von der sozialen Klasse war es, Mais oder eine Jadeperle in den Mund des Verstorbenen zu legen, was das Leben selbst darstellte. Neben den Körper wurden mehrere Statuen gelegt und ein Gegenstand, der das Leben der Person symbolisierte, zum Beispiel ein Buch für einen Priester. Wenn der Verstorbene bedeutend oder reich war, legte man noch weitere Schätze dazu, sogar geopferte Männer, die ihm im Jenseits als Diener dienten. Eine weitere übliche Praxis war es, mit dem Begräbnis ein paar Tage zu warten, so dass die Seele die Gelegenheit hatte, den Körper zu verlassen und ihre Reise fortzusetzen. Die Orte, an denen die Toten begraben wurden, unterschieden sich sowohl mit der Zeitperiode als auch der sozialen Zugehörigkeit. Einfache Bürger wurden entweder auf ihrem eigenen Land in Familiengräbern begraben oder sie wurden in Höhlen gebracht. Es gibt Anzeichen dafür, dass in den Außenbezirken der größeren Städte „Friedhöfe" existierten, wo die einfachen Bürger begraben wurden. Mitglieder der Oberschicht und der königlichen Familie wurden in aufwendigeren Gräbern bestattet, einige der bedeutenderen Herrscher wurden in Tempeln im Stadtzentrum beigesetzt, so dass sie als mächtige Vorfahren verehrt werden konnten. Sogar die Gräber der einfachen Bürger wurden von ihren Nachfahren an bestimmten Tagen besucht, die dann Weihrauch verbrannten und in der Hoffnung auf Führung zu ihnen beteten. Dies ist ein weiteres Beispiel für die Verehrung ihrer Ahnen, die ein wichtiger Bestandteil ihrer Religion war. An diesem Kapitel sollte deutlich geworden sein, dass die Religion der

Maya ein komplexes System von Ritualen, Zeremonien und Glaubensvorstellungen war, die ihr tägliches Leben leiteten. Die komplizierte Matrix religiöser Vorstellungen, wie blutig und barbarisch sie von unserem heutigen Standpunkt aus auch erscheinen mögen, ist ein weiteres Beispiel der Komplexität und des Entwicklungsstands der Zivilisation der Maya.

# Kapitel 10 – Mythen, Legenden und Götter der Maya

Die Religion der Maya war polytheistisch und verfügte über eine komplizierte und reiche Folklore verschiedener Mythen, Legenden und Geschichten. Wenn man bedenkt, wie wichtig und komplex ihre religiösen Praktiken und Rituale waren, ist das nicht weiter verwunderlich. Die Maya nutzten diese Mythen, um ihre Welt zu erklären und zu beschreiben, um bestimmte Richtlinien für das Leben festzusetzen und um dem Universum eine Bedeutung zu geben. Um sowohl ihre Religion als auch ihre Gesellschaft zu begreifen, muss man zunächst verstehen, wie ihr Universum unterteilt war. In der Vertikalen war es in drei Reiche unterteilt. Oben befand sich die Oberwelt (Kan), das Reich des Himmels, wo die vielen Götter lebten und wo sich die meisten ihrer Taten vollzogen. Hinweise deuten darauf hin, dass dieses Reich in weitere 13 aufsteigende Ebenen unterteilt war und es mag möglicherweise eine ähnliche Rolle wie das Paradies im Christentum gespielt haben, in das Krieger, die in der Schlacht gefallen und Mütter, die bei der Geburt gestorben waren, direkt aufgenommen wurden. Das zweite Reich war die Unterwelt (Xibalba), ein unterirdischer Ort, der ebenfalls von Göttern und anderen Kreaturen bevölkert wurde. Man stellte ihn sich als einen wässerigen Ort vor, der sowohl das angsteinflößende Reich der Krankheit und des Verfalls als auch die Quelle großer schöpferischer Mächte und Fruchtbarkeit war. Es wurde in neun Ebenen unterteilt und hierhin kamen Menschen, die eines friedlichen Todes gestorben waren.

Zwischen diesen beiden Reichen lag die Erde (Kab), die materielle Welt, in der die Maya lebten. Es scheint, dass sie glaubten, dass die „Mittelwelt" wie sie auch genannt wurde, wie der Rücken eines Reptils - entweder einer Schildkröte oder eines Krokodils – geformt war, welches im Ur-Meer schwamm, was auch die wässerige Natur der Unterwelt erklärt. Dieses Reich war in die fünf Richtungen der Welt unterteilt. Osten war die Richtung, in der die Sonne wiedergeboren wurde und ihre Farbe war rot. Westen war die Richtung, in der die Sonne starb, und war deshalb die Richtung der Unterwelt oder besser deren Eingang und wurde mit der Farbe schwarz assoziiert. Norden stellte den Mittag und den Himmel dar, einen Ort der Vorfahren, und seine Farbe war weiß. Süden war die Richtung, in der die Sonne nicht sichtbar war, da sie dort - vermutlich in der Unterwelt selbst - gegen die Herren von Xibalba kämpfte, um wiedergeboren werden zu können. Die Farbe des Südens war gelb. Das Zentrum wurde als fünfte „Richtung" betrachtet, da es die zentrale Achse des Universums war, wo der heilige Weltenbaum alle drei Reiche verband, ihre spirituelle Energie verteilte und den Transport von Seelen und Göttern zwischen den Reichen erlaubte. Sie wurde durch das Kreuz symbolisiert. Und wenn die Herrscher sich selbst als das Zentrum des Universums darstellen wollten, schmückten sie sich mit Symbolen des Weltenbaums und unterstrichen ihre Rolle als diejenigen, die mittels ihrer direkten Verbindung zu den Göttern, die Reiche verbanden.

Die Frage nach den Göttern im Maya-Pantheon ist recht kompliziert. Bis jetzt haben Wissenschaftler etwa 250 Namen von Maya-Gottheiten entdeckt, aber sie vermuten, dass es sich nicht um 250 verschiedene Götter handelt. Im Gegensatz zu den meisten westlichen Götterhimmeln, in denen die Götter meist einzig und deutlich ausgeprägt sind, waren die Gottheiten der Maya sehr viel ungewisser. Ein Maya-Gott konnte verschiedene Aspekte seiner Macht und Natur offenbaren und für jede Offenbarung erhielt er einen anderen Namen und wurde anders dargestellt. Einige Götter existierten in vierfacher Form, bei der jede Offenbarung mit den vier Weltrichtungen und deren Farben korrespondierte. Andere existierten in zweifacher Form, die Gegensätze wie Gut und Böse, Jung und Alt darstellten. Aber im Kern handelte es sich beide Male um *eine* Gottheit. Andererseits überlappten sich auch viele Götter in ihren Offenbarungen. Ihre Identitäten, Rollen und Funktionen konnten miteinander vermischt werden. Aus diesem Grund nehmen viele Wissenschaftler an, dass das Maya-Pantheon eher aus Gruppierungen von Göttern statt aus einzelnen Gottheiten bestand. Der Umstand, dass die Maya glaubten, dass einige Götter zoomorph waren – also Tiergestalt annahmen – oder menschliche und tierische Elemente vereinen konnten, macht das Pantheon noch komplexer. Einige Hauptgottheiten konnten jedoch identifiziert und deutlicher von anderen unterschieden werden.

*Der Maya-Gott Itzamná. Quelle: https://commons.wikimedia.org*

Zu den wichtigsten Hauptgottheiten gehörte Itzamná, der der Vorstellung des höchsten Gottes der Maya am nächsten kam. Er wurde als weiser, alter Mann dargestellt, oftmals als Schreiber, manchmal mit schwarzen Spiegeln aus Obsidian, um darin die Vergangenheit und die Zukunft zu lesen. Er war im Wesentlichen ein Gott der Schöpfung und spielte eine wichtige Rolle bei eben jener. Itzamná wurde auch die Erfindung der Bücher zugeschrieben, daher die Darstellungen als Schreiber. Als Herr der Götter führte er den Vorsitz über die Himmel sowohl während der Nacht als auch während des Tages. Als solcher offenbarte er sich auch als die wichtigste Vogelgottheit namens Itzam-Ye oder Vuqub Caquix, ein Zeichen der schon angesprochenen gestaltlichen Flüchtigkeit. Itzamnás Bedeutung wird weiterhin durch den Umstand unterstrichen, dass er der Heilige des Tages *Ahaw* war, der Tag des Königs im rituellen *Tzolk'in*-Kalender. Er hatte zudem Kräfte zur Heilung von Krankheiten offenbart, was ihm die Attribute einer Medizingottheit gab. Itzamná war außerdem mit einer der Mondgöttinnen verheiratet. Als nächster in der Hierarchie von Bedeutung und Macht stand der jugendliche Gott der Sonne, K'inch Ahaw (der sonnengesichtige Gott). In einigen Fällen teilten er und Itzamná die Dualität von Alt und Jung, denn K'inich Ahaw sieht manchmal wie eine jüngere Version des Schöpfergottes aus. Als Sonnengott repräsentierte er den Tageszyklus und die Sonnenenergie, die lebenswichtig für alles natürliche Leben war. Aus diesem Grund war er für die Bauern besonders wichtig. Aber wenn die Sonne in die Unterwelt untergegangen war, verwandelte er sich in den Jaguar-Gott, der durch seinen Kampf für die Wiedergeburt auch der Schutzheilige des Krieges wurde. In dieser Rolle verbanden sich auch die Maya-Könige oft mit ihm.

Ein weiterer, für die Bauern wichtiger Gott, war der Regen- und Sturmgott *Chaac*. Er wurde mit verschiedenen Reptilienmerkmalen dargestellt und man glaubte, dass er an nassen und feuchten Orten lebte. In seiner wohltätigen Form spendete er Leben, da die Landwirtschaft und das gesamte Leben auf den jahreszeitlich bedingten Regen angewiesen waren. Aufgrund seiner Bedeutung war er auch für die Könige der Maya wichtig, die seine Symbole nutzten, um ihre Autorität zu betonen. Der Gott des Blitzes, K'awill, war ebenfalls für den Herrscherkult bedeutsam und seine Symbole zierten die königlichen Zepter. Und da der Mais zentral für das Überleben der Maya war, gab es auch für ihn einen Gott. Im Popol Vuh ist er als Hun Hunahpu bekannt. Er hatte zwei Manifestationen als junger und als alter Maisgott und im Kern war er ein wohltätiger Gott, der Fülle, Wohlstand und das Leben selbst repräsentierte. Er ist zudem bedeutend als der Gott, der starb und wiedergeboren wurde sowie als der Vater der Heldenzwillinge. Ihre Namen waren Hunahpu und Xbanalque und sie spielten in der Schöpfung der gegenwärtigen Welt eine zentrale Rolle.

In einer verkürzten und vereinfachten Version des Schöpfungsmythos erschufen die Götter drei Welten vor der perfekten, gegenwärtigen Welt, die unter anderem mit Menschen aus Mais-Teig bevölkert war. Um Menschen zu erschaffen, mussten sie zunächst den Mais befreien, damit er in der Mittelwelt wachsen konnte, was aber nicht möglich war, da ihr Vater, der Maisgott, in der Unterwelt getötet worden war. Die Heldenzwillinge wurden nach Xibalba eingeladen, um eine Reihe von Aufgaben zu erledigen und an einem Ballspiel der Todesgötter teilzunehmen. Eine der wichtigen Aufgaben war es, sich selbst zu opfern und wiederbelebt zu werden und damit das Selbstopfer zu einem heldenhaften Akt zu machen, was für die Rituale der Maya wichtig war. Schließlich gelingt es ihnen, die Todesgötter zu besiegen und ihren Vater wiederzubeleben, der dann aus einem Schildkrötenpanzer in die Mittelwelt hineinwächst. Als er wiedergeboren wird, ist auch der Mais wieder in der *Kab* verfügbar, denn aus der *Kab* erschaffen die Götter schließlich die Menschen. Dieser Umstand ist eine weitere religiöse Erklärung für die Opferzeremonien. Wenn die Menschen wachsen und sich von Mais ernähren, ist es stimmig, dass die Nahrung der Götter die Menschen sind, welche sie erschufen. Als Lohn für ihre Taten, fuhren die Heldenzwillinge in den Himmel auf.

Trotz ihres Triumphs gewann ein Gott die Oberhand. Sein Name war Kimi und er wurde meistens als Skelettfigur oder als aufgedunsene Leiche dargestellt. Er war mit dem Tod und dem Krieg und allen seinen Folgen, einschließlich der Menschenopfer, verbunden. Eulen galten als bösartige Nachtjäger und damit ebenfalls als eine Repräsentation des Todes und in einigen Mythen sind sie die Boten Kimis. Unter den vielen Gottheiten gibt es zwei Händlergötter, obwohl die beiden auch verbunden oder Teil des gleichen Gottheitenkomplexes sein können. Beide werden mit Warenverpackungen dargestellt und stehen für Handel und Wohlstand. Einer von ihnen, der unter dem Namen Ek Chuaj bekannt ist, ist auch der Heilige des Kakaos, einer wichtigen Handelsware und Währung. Der andere Händlergott, dessen Name noch nicht entschlüsselt ist, hat eine Zigarre im Mund, was seine Verbindung zu den Schamanen andeutet, und wird für eine der ältesten Gottheiten gehalten. Interessanterweise zeigen beiden neben ihren Verbindungen mit Handel und Wohlstand auch Zeichen von Krieg und Gefahr. Der ältere Händlergott trägt als Attribute eine Eule und einen Jaguar, die beide mit Krieg und Tod verbunden sind. Ek Chuajs Verbindung ist noch eindeutiger, denn er trägt einen Speer. Durch diese Symbole stellten die Maya die Gefahren dar, die mit der Tätigkeit des Handels und der Händler einhergingen, welche sich oft selbst verteidigen mussten.

Im Unterschied zu den Händlergöttern hatte der Gott Pawahtun eine kosmologische Rolle. Er war einer der Götter, der eine vierfache Form annehmen konnte und jede dieser Manifestationen hatte damit zu tun, dass er eine der vier Ecken der Welt aufrechthielt. Aber trotz seiner ernsten Rolle als Weltenträger, wurde er häufig als betrunken und in der Gesellschaft von jungen Frauen abgebildet. Noch wichtiger war ein Paar sogenannter Paddlergötter, die als Ruderer in einem Kanu abgebildet wurden. Sie sitzen auf gegenüberliegenden Seiten des Kanus und repräsentieren Tag und Nacht, während sie über den Himmel reisen. Heutige Wissenschaftler nennen sie den Alten

Jaguar-Paddler und den Alten Stachelrochen-Paddler, da sie durch diese Tiere dargestellt werden. Sie werden manchmal gezeigt, wie sie über das Wasser der Unterwelt rudern, was möglicherweise ein Hinweis darauf ist, dass es eine Verbindung mit dem Transport der Verstorbenen ins Leben nach dem Tode gibt. Es ist auch darauf hingewiesen worden, dass die Paddlergötter eine Rolle für die Schöpfung des Universums gespielt haben könnten, aber weiter verbreitet war ihre Verbindung mit rituellem Aderlass und dem Darbringen von Opfern. Sie werden in Szenen solcher Rituale gezeigt und in der Bildsprache der Paddlergötter tauchen häufig Instrumente auf, die zum zeremoniellen Aderlass benutzt wurden.

Nicht alle Maya-Gottheiten waren männlich. Eine wichtige Rolle in ihrem Pantheon spielten zwei Mondgöttinnen, eine junge und eine alte, die wiederum die Dualität im Glauben der Maya widerspiegelten. Die Mächte und göttlichen Verantwortlichkeiten der jüngeren Göttin, die manchmal als aufgehender Mond oder als Hase dargestellt wurde, überlappten sich mit denen des Maisgottes hinsichtlich der Fruchtbarkeit und Fülle. Hier gibt es wahrscheinlich eine Verbindung zum Mondzyklus, der für die Aussaat des Getreides von Bedeutung war. Aus diesem Grund halten einige Forscher sie oder zumindest eine ihrer Manifestationen für die Frau von Hun Hunahpu. Andere vermuten, dass sie mit dem Sonnengott in Verbindung stand, da das Porträt einer Herrschermutter gelegentlich in ihrem Symbol gezeigt wurde, während das Sonnenzeichen für den Vater verwendet wurde. Die ältere Mondgöttin, Ix Chel, diente auch als Regenbogen-Gottheit, was als Zeichen der Dämonen galt und den Weg in die Unterwelt kennzeichnete. Aufgrund dieses Umstands hatte sie eine gewisse Dualität von Gut und Böse in sich. In Verbindung mit dem Regenbogen stand Ix Chel für Stürme, Überschwemmungen, Krankheiten und schließlich für die Zerstörung der Welt. Aber in Verbindung mit dem Mond stand sie für das Wasser als Quelle des Lebens. Sie repräsentierte in dieser Rolle die Schöpfung und wurde als Schutzgöttin der Medizin und der Geburt sowie der Weissagung und des Webens angesehen. Sie war mit Itzamná verheiratet.

*Die Maya-Göttin Ix Chel. Quelle: https://commons.wikimedia.org*

Es gibt noch eine weitere wichtige Gottheit, die erwähnt werden sollte, um die Tatsache zu betonen, dass Religion wie auch alle anderen Aspekte der Maya-Kultur von Kontakten mit anderen mesoamerikanischen Zivilisationen beeinflusst wurde. Es handelt sich um K'uk'ulcan oder wie die Azteken ihn nannten, Quetzalcoatl. Diese Gottheit, die berühmte gefiederte Schlange der mesoamerikanischen Religionen, existierte schon in der Frühzeit der Maya. Möglicherweise war sie ursprünglich ein Resultat des olmekischen Einflusses. In der frühen Zeit stand K'uk'ulcan in Verbindung mit Krieg und Eroberung. Aber im Zuge des späteren Kontakts mit Zentralmexiko trat er eher in Verbindung mit Bildung und Händlern als auch als Schutzgott der Herrscher auf. Er war auch der Gott des Windes. K'uk'ulcan gewann aber erst in der

Spätklassischen und Postklassischen Ära an Bedeutung, da er eine der zentralen Gottheiten von Chichén Itzá und Mayapan war. Es wird heute angenommen, dass die unter den Mesoamerikanern weit verbreitete Verehrung der gefiederten Schlange dazu beitrug, den Handel zwischen Menschen unterschiedlicher ethnischer und sozialer Herkunft zu vereinfachen. Unabhängig von der Herkunft der Menschen glaubten die Maya, dass jeder Mensch mehrere Seelen besaß, aber es ist unklar, wie viele es waren und woher die Vorstellung kam. Es ist jedenfalls ein weiteres Beispiel für die Pluralität der Maya-Religion.

Man glaubte, die Seelen seien ewig und dass die Sterblichkeit in ihnen wohne. Der Verlust mehrerer Seelen führe zu Krankheit und die Schamanen hatten die Aufgaben, die Seelen wieder in ihren Normalzustand zu versetzen. Die Seelen spielten aber auch in anderen Formen eine wichtige Rolle für den Schamanismus. So glaubte man zum Beispiel, dass einige Seelen in Verbindung mit dem Geist der tierischen Begleiter standen, was für die Schamanen und ihre Verbindung zur Natur zentral war. Der Tod trat nur ein, wenn alle Seelen den Körper verlassen hatten. Einige Seelen starben gemeinsam mit dem Körper, andere reisten ins Leben nach dem Tode. Es wurde für bestimmte Arten von Seelen auch für möglich gehalten, in einer neuen Person wiedergeboren zu werden, möglicherweise als ein zukünftiger Nachkomme, was wiederum eine starke Verbindung zu den Vorfahren schuf. Aufgrund dieser vielen und komplizierten Seelen ist es recht schwierig, genau zu sagen, an was für eine Art von Leben im Jenseits die Maya glaubten. Es gibt bestimmte Vorstellungen vom Jenseits mit möglichem Lohn und mit Bestrafungen, ähnlich der christlichen Vorstellung von Himmel und Hölle. Gleichzeitig existierte aber auch die Vorstellung der Reinkarnation. Für Könige bestand auch die Möglichkeit der Vergöttlichung. Die Vorstellung vom Jenseits war in verschiedenen Teilen der Maya-Welt möglicherweise auch unterschiedlich, so wie andere Aspekte der Religion auch. Das ist einer der Gründe, warum es für Wissenschaftler schwierig ist, ein einheitliches Gesamtbild zusammenzusetzen. Die Wahrheit ist, dass sich je nach Zeit und Ort die Glaubensvorstellungen der Maya änderten und ihre eigenen Charakteristiken aufwiesen, wobei aber die zentralen Themen die gleichen blieben. Ohne Zweifel war dies jedoch ein weiterer Aspekt der Maya-Zivilisation, der demonstrierte, wie hoch entwickelt die Maya waren.

# Kapitel 11 – Das tägliche Leben der Maya

In allen Zivilisationen der Welt richten Künstler und Autoren ihre Aufmerksamkeit oft auf die höheren Bevölkerungsschichten, ihr Leben, ihre Rituale und Verpflichtungen. Und Historiker tendieren aufgrund der umfangreicheren Quellen ebenfalls dazu, ihnen mehr Aufmerksamkeit zu schenken. Das trifft auch auf die Maya zu und bisher lag der Fokus dieses Buches auf den höheren Kasten der Gesellschaft. Aber die einfachen Menschen umfassten neunzig Prozent der Maya-Bevölkerung und sind daher wenigstens genauso wichtig für die Geschichte diese Zivilisation. Dieses Kapitel untersucht ihr Leben und wirft aus Gründen der Veranschaulichung einen gelegentlichen Seitenblick auf die Eliten. Eine der wichtigsten Fragen in Bezug auf die einfachen Menschen ist die Frage nach ihren Tätigkeiten. Heutige Schätzungen gehen davon aus, dass etwa 75 % der Maya-Bevölkerung in der einen oder anderen Weise mit der Nahrungsproduktion zu tun hatten. Männer waren größtenteils mit der Landwirtschaft und der Jagd beschäftigt, während sich die Frauen um den Küchengarten kümmerten, nach Nahrung suchten und die Mahlzeiten zubereiteten. Es ist wahrscheinlich, dass die Frauen in einigen Fällen ihren Männern auch bei der Feldarbeit halfen.

Nahrung wurde das ganze Jahr über produziert und während der Unterbrechungen webten die Maya, arbeiteten an Bauprojekten, stellten Werkzeuge her oder dienten als Krieger. Die übrigen 25 % einschließlich der Eliten, waren Spezialisten in verschiedenen Berufen, wie zum Beispiel als Töpfer, Künstler, Maler, Bildhauer, Kaufleute, Soldaten, Priester, Steinmetze, Juweliere, Werkzeugmacher, Regierungsbedienstete und noch einiger mehr. Mitglieder des Adels machten fast die Hälfte dieser Nicht-Bauern aus und hatten die sozial höherstehenden Funktionen wie Priester, Soldaten und sogar Künstler und Juweliere inne.

Was allen Bevölkerungsgruppen gemein war, war die Bedeutung der Familie. Das wurde insbesondere vom Adel demonstriert, aber auch die einfachen Bürger legten ihrerseits viel Wert auf die Abstammung. Die meisten Heiraten scheinen arrangiert gewesen zu sein und es war verboten, jemanden zu heiraten, der den gleichen Familiennamen trug, um eine Vermischung innerhalb der Familie zu verhindern. Es war aber sozial wünschenswert, dass die beiden Neuvermählten aus der gleichen Stadt und der gleichen Klasse stammten. Nach der Heirat behielten Mann und Frau die Familiennamen sowohl der Mutter als auch des Vaters, um ihre Abstammung im Auge zu behalten. In den ersten Jahren lebte das Paar mit der Familie der Frau, bei der der Mann arbeitete, um ihren Brautpreis abzuarbeiten. Dann zogen sie zur Familie des Mannes, wo sie ihr eigenes Haus bauten. Es sollte angemerkt werden, dass die meisten Maya monogam lebten, insbesondere die Bürgerlichen. Eine Scheidung war möglich und anscheinend einfach. Verheiratete Paare bekamen sobald wie möglich Kinder, wobei die Frauen zu Ix Chel um Fruchtbarkeit und eine leichte Geburt beteten. Babys wurden nach der Geburt so lange wie möglich gestillt, manchmal sogar bis zum Alter von fünf Jahren. In diesem Alter unterzogen sich die Kinder einer Zeremonie, in der sie zum ersten Mal Kleidung trugen und zu einem funktionalen Teil der Familie wurden. Wenn sie älter wurden, wurden sie in der Pubertät einem öffentlichen Ritual unterzogen, das symbolisierte, dass sie zu Erwachsenen wurden. Danach warteten sie, dass für sie eine Heirat arrangiert wurde. Während dieser Warteperiode wurde erwartet, dass sich junge Frauen keusch und zurückhaltend benahmen. Männer waren andererseits freier und es gibt Hinweise, dass sie die Gesellschaft von Prostituierten suchten. Nach der Heirat wurden von beiden Partnern Treue erwartet.

Eine formale Bildung existierte nicht und die Familie unterrichtete wohl ihre eigenen Kinder. Die Eltern waren dafür verantwortlich, ihnen die traditionellen Hausarbeiten, Landwirtschaftsmethoden und die Grundlagen der Tradition und Religion beizubringen. Spezialisierte Handwerkstätigkeiten oder Gewerbe wie Töpferei oder Steinschnitt lernten sie in einer Ausbildung von Mitgliedern des weiteren Familienkreises. Für die Eliten gab es eine Art formale Bildung und Ausbildung für Gewerbe, die mehr esoterische Kenntnisse über Rituale, Astronomie, Medizin und Schreibfähigkeit verlangten. Möglicherweise existierte eine Schule für Schreiber, aber diese Fähigkeiten könnten auch in Form einer Lehre vermittelt worden sein. Eltern fiel die Aufgabe der moralischen Erziehung zu, damit ihre Sprösslinge funktionierende Mitglieder der Gesellschaft wurden. Das war wichtig, denn die Strafen für Verbrechen konnten streng sein. Wer gewalttätige Verbrechen beging wie Mord, Brandstiftung und Vergewaltigung wurde in der Regel zum Tod durch Opferung in Form von Steinigung oder sogar Zerstückelung verurteilt. Im Falle von Mord konnte die Familie des Opfers anstelle der Todesstrafe eine materielle Wiedergutmachung fordern. Dies war auch die Norm für Eigentumsdelikte wie Diebstahl, bei denen der Täter entweder den Schaden ersetzte oder versklavt wurde, bis er seine Schulden abbezahlt hatte. Ehebruch war ebenfalls ein ernstes Verbrechen, insbesondere für Männer, die oft zum Tode verurteilt wurden, während für Frauen eine öffentliche Demütigung als ausreichend erachtet wurde. Diese Ungleichheit vor dem Gesetz galt auch für den sozialen Stand. Einem Dieb adliger Herkunft wurde das gesamte Gesicht tätowiert als Symbol der öffentlichen Schande, während die Ermordung eines Sklaven nicht als ernsthaftes Vergehen angesehen wurde. Es ist auch wahrscheinlich, dass es Nicht-Adligen gesetzlich verboten war, sich mit Stücken zu schmücken, die dem Adel vorbehalten waren wie etwa exotischen Federn, Pelzen und Edelsteinen. Hochrangige städtische Beamten von oft adliger Herkunft fungierten als Richter und obwohl es wahrscheinlich ist, dass sie in einigen Fällen parteiisch waren, berichten die meisten Quellen, dass sie keine bestimmte Partei ergriffen.

Da die Familie der Kern der Maya-Gesellschaft war, spielte ihr Haushalt eine wichtige Rolle im alltäglichen Leben. Er bestand üblicherweise aus mehreren Gebäuden, die die Wohnung und die Vorratsgebäude umfassten und um einen Hof herum angeordnet waren. Es war üblich, dass mehrere Generationen im gleichen Haushalt lebten. Das galt unabhängig der Klasse oder dem Reichtum der Familie, ob nun in einfachen strohgedeckten Lehmhütten oder den Steinpalästen der königlichen Familie. Die Gebäude dienten auch als Arbeitsbereich, um Töpfe, Werkzeuge, Körbe, Kleidung herzustellen und zu kochen. Die Nahrung der einfachen Bürger variierte, aber an den meisten Tagen aßen sie einfache Gerichte aus Kürbis, Bohnen und natürlich Mais. Diese wurden mit Kräutern, anderem Gemüse, Früchten und Fleisch ergänzt. Die Maya stellten verschiedene Getränke her, insbesondere einen warmen Maisschleim namens *atole* und ein fermentiertes Getränk namens *chicha*. Adlige tranken ein Schokoladengetränk, für das wohl der zentralmexikanische Name *xocoatl* benutzt wurde. Interessant ist, dass die berühmten mexikanischen Tortillas bei den Mayas nicht so sehr verbreitet waren. Nach den gefundenen Überresten zu urteilen, waren auch einfache Bürger der Mayabevölkerung wohlgenährt und gesund.

Neben guter Ernährung war Sauberkeit ein wichtiger Faktor für die Erhaltung der Gesundheit. Die Maya säuberten ihre Häuser, wuschen ihre Hände und putzten sich nach dem Essen die Zähne und nahmen gelegentlich Dampfbäder. Diese Bäder waren möglicherweise Teil bestimmter religiöser Rituale. Die Schamanen der Maya führten auch Heilrituale durch, die wahrscheinlich mit der Vorstellung der vermissten Seelen zusammenhingen. Diese gingen Hand in Hand mit verschiedenen Kräuterkuren und Salbungen. Einige von ihnen waren tatsächlich effektiv und wirksam, sogar gegen Herzbeschwerden, andere dagegen waren kontraproduktiv. So glaubten die Maya zum Beispiel, dass das Rauchen von Tabak gegen Asthma helfe. Neben Gesundheit und Hygiene kümmerten sie sich auch sehr um ihr Aussehen. Und auch wenn ihre Schönheitsvorstellungen für uns heute seltsam anmuten, verwendeten sie darauf viel Sorgfalt. Am auffälligsten war das Ideal der verlängerten und nach hinten geneigten Stirn. Es wurde erreicht, indem man die noch weichen Stirnen von Babys mit zwei eng an der Stirn und am Hinterkopf festgebundenen Stücken Holz abflachte. Die frühere Forschung nahm an, dass es sich dabei um eine Praxis der Adligen zum Zeichen ihres Prestiges gehandelt habe, aber neuere Erkenntnisse zeigen, dass sie von fast allen Maya gepflegt wurde, vielleicht ein Versuch, den Wuchs des Maiskolbens zu imitieren.

Eine andere, nach heutigen Standards seltsame Schönheitsvorstellung der Maya-Gesellschaft waren leicht schielende Augen. Auch das wurde schon im frühen Alter herbeigeführt, indem man Babys kleine Bälle aus Fäden vor den Augen befestigte und sie so veranlasste, die Augen darauf zu fokussieren. Eher nachvollziehbar sind nach heutiger Mode Tattoos und Piercings. Tattoos wurden in einer sehr schmerzhaften Prozedur hergestellt. Man fügte der bemalten Haut Narben zu, so dass das Farbpigment in die Narben eindrang. Aus diesem Grund und weil es leicht zu Entzündungen kommen konnte, waren Tattoos nicht so verbreitet und dienten oft nur als Demonstration persönlichen Mutes. Piercings andererseits waren sehr verbreitet in Form von Ohr-, Lippen- und Nasensteckern, die von reichen Adligen oft noch mit wertvollen Steinen und bunten Muscheln verziert wurden. Interessanterweise hatten Männer nicht nur mehr Tattoos, sondern auch mehr Piercings, die auch dazu dienten, ihre Stellung in der Gesellschaft zu demonstrieren. Eine Tradition, die keine dauerhaften Zeichen hinterließ, war die Körperbemalung. Krieger benutzten rote und schwarze Farbe, um grimmiger und gefährlicher auszusehen. Priester waren für religiöse Rituale manchmal blau bemalt, während Frauen verschiedene Farben nutzten, um ihre Schönheit zu unterstreichen, beinahe wie da heutige Make-up. Schwarz wurde sowohl von Menschen benutzt, die Reinigungs- und andere Rituale durchführten als auch für das zeremonielle Fasten.

Auch die Frisur war ein wichtiger Faktor für ein stilvolles Aussehen der Maya. Es scheint, als hätten sowohl Männer als auch Frauen das Haarrelativ lang getragen. Die Frisuren der Männer waren einfacher, die Seiten waren kurz geschnitten, während sie hinten lang blieben. Sie trugen normalerweise einen Pferdeschwanz, den sie gelegentlich mit Federn oder Bänder schmückten. Frauen trugen ihr Haar in kunstvoll geflochtenen und verzierten Zöpfen und Kopfschmuck, oft verziert mit Federn, Bändern und anderen Accessoires. Es ist auch möglich, dass der vordere Teil des Kopfes rasiert war, um die verlängerte Stirn zur Geltung zu bringen, aber das mag auch nur eine künstlerische Darstellung gewesen sein, die das gewünschte Aussehen stark betonte. Es ist schwierig, das genaue Aussehen der Maya-Frisuren zu präzisieren, da die Abbildungen oft aufwendigen Kopfschmuck und Hüte zeigen, die für verschiedene Rituale und Zeremonien getragen wurden. Die Männer vermieden gewöhnlich Bärte und obwohl einige Herrscher auf Abbildungen Bärte tragen, war dies wohl eine Fälschung oder sie wurden nur für zeremonielle Zwecke getragen. Da die Maya in heißem und tropischem Klima lebten, verwendeten sie Parfüm und Salben, um den Körpergeruch zu verringern. Sie wurde aus verschiedenen Kräutern und Früchten hergestellt, aber es scheint, als sei Parfüm mit Vanille die verbreitetste Variante gewesen.

*Figur einer weiblichen Maya. Quelle: https://commons.wikimedia.org*

Obwohl die meisten Schönheits- und Modevorstellungen für beide Geschlechter recht ähnlich waren, galt das nicht für die Kleidung. Frauen trugen Röcke, Blusen, schalähnliche Jacken und Sarongs um ihren Körper. Nicht alle Frauen bedeckten ihre Brüste. Unter ihren Röcken trugen Frauen Beintücher. Männer trugen lange Umhänge und Beintücher, obwohl sie auf einigen Abbildungen auch so etwas wie einen Männerrock oder Kilt zu tragen scheinen. Komplizierte Roben oder Jacken wurden meist nur von Adligen getragen, die Rituale zelebrierten. Formellere Kleidung war oft mit gestickten Federn, Pelzen und Göttersymbolen verziert. Die tägliche Kleidung, insbesondere der einfachen Bürger, war weniger prunkvoll, aber wahrscheinlich sehr farbig. Um ihr Aussehen zu betonen trugen die

Maya Schmuck wie Halsketten, Kragen, Anhänger, Gürtel und Armbänder. Auch hier trugen Männer mehr Schmuck als Frauen, da er als Indikator für den sozialen Status galt. Die dafür verwendeten Materialen variierten sowohl im Laufe der Zeit als auch zwischen den Klassen. Während die Adligen wertvolle Steine, insbesondere Jade, wertvolle Muscheln und später Gold trugen, nutzten die einfachen Bürger häufiger Holz und Knochen – gelegentlich auch farbige Stücke, um sie zu etwas Besonderem zu machen.

Aber gutes Aussehen und Schmuckgegenstände waren nicht die einzigen wichtigen Teile des täglichen Lebens der Maya und sie brachten weder Spaß noch Aufregung. Dafür hatten die Maya verschiedene Formen der Unterhaltung. Am wichtigsten waren natürlich die großen religiösen Zeremonien mit Musik, Tanz und Festmahlen, die oft mehrere Tage andauerten. Aber diese dienten nicht der täglichen Unterhaltung. Dafür gab es eine Reihe von Brettspielen, Glücksspiele und weniger brutale Formen von Ballspielen, welche auf einfachen Spielfeldern gespielt wurden und keine religiöse Bedeutung hatten. Die Maya sangen und tanzten, auch ganz ohne rituelle Bedeutung und einige Wissenschaftler glauben, dass einige Kodizes für öffentliche Lesungen und Aufführungen geschrieben wurden, die einer Theateraufführung ähnelten. Die Adligen veranstalteten Bankette und private Festmahle mit vielen Speisen und Getränken und verschiedenen Formen der Unterhaltung wie Musikern und Spaßmachern. Einen wichtigen Teil der Maya-Gesellschaft stellten private Familienfeiern wie Hochzeiten oder Jahrestage der Vorfahren dar, die ebenfalls für Unterhaltung sorgten. Aber alle dieser Unterhaltungen waren weniger häufig als wir sie heute für normal halten würden, da die meisten Maya, besonders die einfachen Bürger, den ganzen Tag über hart arbeiten mussten und kaum über Freizeit verfügten. Aber trotz allem scheint das tägliche Leben der Maya nicht allzu schlecht gewesen zu sein und die meisten von ihnen waren gesund, glücklich und wohlgenährt.

# Kapitel 12 – Von den Kolonialzeiten bis heute – die Maya leben fort

Viele Bücher über die Geschichte und die Zivilisation der Maya enden mit der Ankunft der spanischen Konquistadoren. Nach einer kurzen Beschreibung, wie sie von den technologisch überlegenen Europäern mit Hilfe von europäischen Krankheitserregern überwältigt wurden, endet dann oft die Geschichte der Maya. Es scheint fast wie eine bewusste Entscheidung der Historiker, um die heutigen Maya der Größe ihrer Vorfahren und Kultur zu entfremden. Und es vermittelt die Ansicht, dass die Maya-Zivilisation unter dem Kolonialregime starb. Obwohl es zutrifft, dass sie durch die Spanier erheblich verändert und beeinflusst wurde, insbesondere in religiöser Hinsicht, wäre es jedoch falsch anzunehmen, dass die Maya alle Traditionen aufgegeben hätten. Auch wenn die spanische Kolonialregierung alles, was in ihrer Macht lag, tat, um die Maya ihre Vergangenheit vergessen zu lassen. Nachdem neunzig Prozent der Maya-Bevölkerung von Krankheiten dahingerafft worden waren, wurde die Kolonialregierung instruiert, die verbliebenen Maya in Dörfern und Städten zu konzentrieren, die spanischen Siedlungen in

Europa ähnelten. Dort war es für sie einfacher, die einheimische Bevölkerung zu kontrollieren und zu missionieren. Auch wenn einige Maya bis Ende des 17. Jahrhunderts Widerstand leisteten, wurden schließlich fast alle Maya in die neuen Siedlungen umgesiedelt.

In den Zentren der neuen Siedlungen gab es zwei Gebäude, eine Kirche und den Sitz der zivilen Regierung. Mit glühendem Eifer arbeiteten die neuen Herren daran, die Maya zu konvertieren. Sie setzen sie unter Druck, ihre Götter, Mythologie, Zeremonien und Rituale zu vergessen, ihre Bücher zu verbrennen und ihr traditionelles Schreibsystem auszulöschen. Stattdessen boten sie ihnen ihren einen Gott, den Erlöser Jesus, die Bibel und das lateinische Alphabet. Rituelle Menschenopfer stachelten die religiöse Inbrunst der christlichen Priester für die Konvertierung der neueroberten Bevölkerung weiter an. Sie hielten sie für satanisch, böse und vollständig unmoralisch. Gleichwohl waren sie der Ansicht, dass das Verbrennen von Ungläubigen auf dem Scheiterhauften, die vielgestaltige Folter und alle anderen Praktiken, die man mit der Spanischen Inquisition assoziiert, vollständig tragbar und moralisch vertretbar waren und mit dem Gebahren „zivilisierter" Nationen im Einklang standen. Gleichzeitig erlegten die Kolonialherren den Maya neue Gesetze und Regelungen auf. Zum einen verloren die Maya ihre Unabhängigkeit und ihre Stimme, zum anderen wurden sie gezwungen Steuern und Abgaben zu zahlen und fast wie Sklaven zu arbeiten. Die Spanier veränderten auch die Wirtschaft der Region, führten Stahlwerkzeuge sowie Viehhaltung ein und beendeten den örtlichen Handel, da jede Ressource von Wert aus der Heimat der Maya nach Europa verschifft wurde.

Aber trotz all der Herabwürdigung der Maya-Kultur und -Zivilisation gelang es ihr, zu überleben. Obwohl sie ihre Religion letztendlich verloren, vermischten sich einige Elemente mit dem Christentum und überlebten. Einer dieser Aspekte war die Verehrung der Vorfahren und in einigen Fällen wurden lokale Praktiken in christliche Rituale integriert. In einigen Fällen lebten sogar die rituellen Opfer fort, obwohl sie jetzt mit Tieren, meist Hühnern, durchgeführt wurden. Und einige der gebildeteren Maya nutzten das neue lateinische Alphabet, um wenigstens einige ihrer traditionellen Bücher zu transkribieren, wie das Popol Vuh, und einige Elemente ihrer Kultur darin zu bewahren. Zu anderen Aspekten ihrer Kultur, die sie bewahrten, gehörten die Symbole und Muster, die sie für ihre Kleidung verwendeten, obwohl auch diese mit christlichem Symbolen und Mustern vermischt und für Kleidung nach europäischem Stil verwendet wurden. Am wichtigsten jedoch war, dass die Maya ihre eigene Sprache bewahrten. Aufgrund der Trennung verschiedener Maya-Gruppen entwickelten sich ihre Sprache und andere Traditionen während der Kolonialherrschaft in unterschiedliche Richtungen. Damit war die koloniale und postkoloniale Bevölkerung und Zivilisation der Maya zersplittert und verfügte nicht über die Einheit, die Nötig gewesen wäre, um für ihre eigenen Bedürfnisse zu kämpfen.

Es sollte jedoch festgehalten werden, dass die Eroberung des Maya-Kernlandes nicht vollständig gelang. Obwohl sie versuchten, die Maya zu „zivilisieren", lebten die spanischen Herren und die Ladinos, Spanier und Hispanisierte, die nicht zur gesellschaftlichen Elite gehörten, getrennt von ihnen. Als Minderheit lebten die Mittglieder der Konquista in geschlossenen Gemeinschaften. Um sie herum und zwischen ihnen befand sich die örtliche Maya-Bevölkerung, die sich der Unterschiede zwischen ihnen mehr als bewusst war. Die Versuche der Kolonialregierung, die Maya zu assimilieren und die örtliche Bevölkerung in ihre eigene Gesellschaft zu integrieren scheiterten an der Geringschätzung den Maya gegenüber. Sie wurden wie Angehörige niederer Klassen behandelt, die keine Rechte besaßen. Für eine lange Zeit mussten sich die Maya damit abfinden, da sie nicht die Macht hatten, dagegen anzukämpfen. Aber im 19. Jahrhundert begann das spanische Kolonialreich zu bröckeln und neue mesoamerikanische Staaten entstanden. Trotz bestimmter Erwartungen, dass sich die Situation für die örtliche Bevölkerung einschließlich der Maya ohne das Kolonialreich bessern würde, änderte sich praktisch nichts. Nachkommen der Ladinos beherrschten die Länder und unterdrückten die Maya genau wie zuvor. Das brachte die Maya schließlich zur Rebellion.

Die Maya in Yucatán ergriffen 1847 die Waffen und begannen den Krieg gegen die mexikanische Zentralregierung. Die weiße Elite, die sie ausbeutete, nannte diese Auseinandersetzung den „Krieg der Kasten", eine weitere Bestätigung der Tatsache, dass sie die Maya als unterste Klasse der Gesellschaft sahen. Während der Rebellion, so schien es, wurde der alte Kriegergeist der Maya-Kämpfer neu erweckt, denn es gelang ihnen, die Kontrolle über fast ganz Yucatán zu erlangen. Die mexikanischen Regierungstruppen wurden in ein paar Städte an der Küste zurückgedrängt. Für eine kurze Zeit schien es, als wäre die Eroberung rückgängig gemacht worden und die Maya hätten ihre Freiheit zurückgewonnen. Aber als die Zeit der Aussaat kam, kehrte die Armee der Maya wie in präkolumbianischen Zeiten nach Hause zurück, um auf dem Feld zu arbeiten. Das war jedoch noch nicht das Ende des Aufstands. Die Scharmützel und örtliche Kämpfe gingen weiter und 1850 ergriff eine neuer Kampfgeist die Maya. Sie wurden durch die Manifestation des sogenannten „Sprechenden Kreuzes" inspiriert, durch das Gott – wie sie glaubten – zu ihnen sprach und ihnen mitteilte, den Kampf fortzusetzen. Wieder einmal war die Religion von Krieg durchdrungen und mit der neugefundenen Kraft, gelang es den Maya des südöstlichen Yucatán, die Regierungstruppen abzuwehren und einen halb-unabhängigen Staat zu gründen. Er wird oft Chan Santa Cruz genannt, nach seiner Hauptstadt, genau wie auf dem Höhepunkt der Maya-Zivilisation.

Die Frage nach der Unabhängigkeit dieses Maya-Staates ist recht kompliziert. Die mexikanische Zentralregierung hatte keinerlei Kontrolle über das Gebiet, die Maya waren praktisch frei. Außer Großbritannien erkannte jedoch kein anderes Land die Trennung von Mexiko City an. Der einzige Grund der Briten bestand im Handel zwischen Britisch-Belize und Chan Santa Cruz. Es gibt

Vermutungen, dass einige der Waffen, die in der Rebellion benutzt wurden, aus Belize kamen. Andere, kleinere Gruppen der Maya erklärten ebenfalls ihren eigenen unabhängigen Weg, waren aber weniger erfolgreich. Einige dieser Gruppen wandten sich sogar gegen Chan Santa Cruz, weil sie die Anbetung des Sprechenden Kreuz als einen Irrweg betrachteten, der vom wahren Christentum wegführte. Und natürlich blieb auch die mexikanische Zentralregierung nicht passiv, sie griff Chan Santa Cruz an und kam mehrfach bis kurz vor die Hauptstadt. Der Kampf dauerte die nächsten fünfzig Jahre an. Im Jahr 1893 gab es dann einen Wendepunkt, als Großbritannien einen Vertrag mit Mexiko unterzeichnete, in dem es unter anderem anerkannte, dass Chan Santa Cruz unter mexikanischer Herrschaft stand. Das war ein herber Rückschlag für die Maya, denn sie konnten ihre Vorräte an Waffen und Munition nicht mehr aus Belize aufstocken. 1910 wurden sie endgültig von den Regierungstruppen besiegt. Schätzungen gehen davon aus, dass in diesem Kampf etwa vierzig- bis fünfzigtausend Menschen, hauptsächlich Maya, den Tod fanden.

*Ölgemälde aus dem Krieg der Kasten, um 1850.*
*Quelle: https://commons.wikimedia.org*

Obwohl sie den Krieg und ihre Freiheit verloren hatten, hatte der Maya-Aufstand auch positive Folgen. Um 1915 führte die Zentralregierung einige Reformen durch. Darunter eine Agrarreform, die das koloniale Arbeitssystem abschaffte, womit einige der Probleme, die die Revolte ausgelöst hatten, gelöst wurden. Dennoch wurden die Maya weiterhin wie Bürger zweiter Klasse behandelt und ihre Position verbesserte sich im Allgemeinen nicht sehr. Und da die Maya sich nicht sehr um die Integration in die mexikanische Gesellschaft bemühten, blieben sie politisch und wirtschaftlich relativ isoliert und lebten vornehmlich als Kleinbauern. Aber in den 1950er und 60er Jahren änderte sich die Politik Mexiko Citys. Durch viele Initiativen versuchten sie eine Modernisierung und die Integration der Maya in das mexikanische Gemeinwesen zu erreichen. Den Maya wurde ungenutztes Land und ein Teil des Dschungels zur Rodung angeboten, um neue Bauernhöfe anzulegen, was eine Wanderungsbewegung der Maya auslöste. Die Initiativen waren von begrenztem Erfolg und die schwerwiegendste Konsequenz war ein aufsteigender Ärger der nicht-indigenen Mexikaner, die das Gefühl hatten, dass ihr Land an die Maya verteilt wurde. Aus diesem Grund wurden die Initiativen in den siebziger Jahren aufgegeben. Ungefähr zur gleichen Zeit, erlebten die Maya in Guatemala die dunkelste Zeit ihrer Geschichte seit Ankunft der spanischen Konquistadoren.

In dieser Zeit wurden die zentralamerikanischen Länder in den Wirbelwind des Kalten Krieges gesogen. Linksgerichtete Rebellen, unterstützt von einigen sozialistischen Staaten und einem Teil der indigenen Bevölkerung, die in der Hoffnung auf eine gleichberechtigte Gesellschaft agierten, prallten mit der rechtsgerichteten Militärdiktatur zusammen, die von den Vereinigten Staaten unterstützt wurde. Als Teil dieser größeren politischen Auseinandersetzung begann 1960 der Bürgerkrieg in Guatemala und von Beginn an waren die Maya eines der Ziele der rechtsgerichteten Regierung. Obwohl ihre begrenzte Unterstützung der Rebellen dabei eine Rolle spielte, war die Feindseligkeit der Ladino-Regierung häufig in Rassismus und Intoleranz gegenüber den Maya begründet, die sie als unrein und unwert ansahen. Für sie waren die Maya eine verhasste und minderwertige Rasse. Der Terror gegen die indigene Bevölkerung eskalierte zwischen 1975 und 1985. Während dieser Zeit verübte die guatemaltekische Armee mehr als 600 Massaker und zerstörte mehr als 400 Maya-Dörfer. Zwischen 150.000 und 200.000 Menschen wurden getötet, mehr als 40.000 „verschwanden" und etwa 100.000 Frauen wurden vergewaltigt. Daneben gab es etwa eine halbe Million Flüchtlinge, die in den umliegenden Staaten und in den USA Zuflucht suchten. Die große Mehrheit dieser Opfer waren Maya, Schätzungen zufolge handelte es sich um 80 bis 90 Prozent. Andere, kleinere indigene Gruppen wurden ebenfalls zur Zielscheibe. Der Bürgerkrieg dauerte bis Mitte der 1990er Jahre an und seine Folgen sind heute noch spürbar.

Nach dem Ende des Bürgerkriegs wurde dieser Terror international als Völkermord anerkannt und als guatemaltekischer oder Maya-Völkermord bezeichnet. Ein anderer, wenn auch seltener gebrauchter Name war „Stiller Holocaust", teilweise weil sich niemand um die Maya-Opfer kümmerte, als sich der Völkermord ereignete. Sie wurden zum Schweigen gebracht und von der Mehrheit der Welt ignoriert, die sich eher für den Aspekt des Kalten Krieges im Bürgerkrieg interessierte. Eine Kommission der Vereinten Nationen kam sogar zu dem Schluss, dass die Vereinigten Staaten eine Teilschuld an den Massaker trugen, weil sie guatemaltekische Offiziere in Methoden der Bekämpfung von Aufständen geschult hatten. Für die Vereinigten Staaten hatte das jedoch keine Konsequenzen. Und als die Maya in Guatemala in den 1990er Jahren endlich etwas Frieden gefunden hatte, wandelten sich die Dinge für die mexikanischen Maya wieder zum Schlechteren. Das Hauptproblem bestand darin, dass Mexiko, um dem Nordamerikanischem Freihandelsabkommen (NAFTA) mit den USA und Kanada beizutreten, einige Artikel in seiner Verfassung ändern musste, unter anderem einen, der den gemeinsamen

Landbesitz der indigenen Einwohner schützte. Das Land war die Hauptquelle für Nahrung und Einkommen vieler Maya und einiger anderer indigenen Gruppen. Mit der Aufhebung des Artikels konnte die Zentralregierung diese Ländereien privatisieren und verkaufen. Darüber hinaus wurde die lokale Bevölkerung, die von den gemeinsamen Farmen abhängig war, zu illegalen Landbesetzern und ihre Gemeinschaften wurden zu illegalen Siedlungen.

Wieder einmal stellte sich die Zentralregierung taub für die Proteste der Maya und änderte die mexikanische Verfassung. Das verursachte eine bewaffnete Revolte der Maya im Januar 1994, die sich dieses Mal im mexikanischen Bundesstaat Chiapas und nicht in Yucatán ereignete. Die Zapatistische Armee der Nationalen Befreiung führte den Aufstand an und forderte kulturelle, politische und soziale sowie Landrechte für alle Maya und andere indigenen Bevölkerungsgruppen in Mexiko. Die mexikanische Armee reagierte rasch und nach nur zwölf Tagen wurde der Waffenstillstand verkündet. Dennoch schockte dieses Ereignis die mexikanische Regierung. Die Politiker in Mexiko City waren es nicht gewohnt, dass die indigene Bevölkerung so offen revoltierte. Aber noch besorgniserregender war für sie die Unterstützung, die die Bewegung in ganz Mexiko und in der Welt erhielt. Die Maya erreichten diese Unterstützung durch ihre geschickte Nutzung der Medien, insbesondere des Internet, das zu der Zeit noch eine neue Technologie war. Unter Druck stimmte die Regierung Verhandlungen mit den Maya zu und versprach, die indigene Bevölkerung Mexikos zu schützen. Doch als sich der Staub gelegt hatte, verfolgte sie wie zuvor ihre eigenen Pläne. Und bis zum heutigen Tag protestieren die Maya und versuchen, ihrer Stimmen Gehör zu verschaffen, während die mexikanischen Politiker sie immer weiter ignorieren. In dieser angespannten Situation kommt es immer wieder zu örtlichen Kämpfen und Scharmützeln, meist aber zwischen zivilen Bevölkerungsgruppen und es gibt keine Anzeichen für eine Verbesserung.

Heute leben die Maya aller Länder in relativem Frieden, obwohl ihr Leben weit davon entfernt ist, ideal zu sein. Regenwälder werden zerstört, ihre traditionellen Farmen werden ihnen abgenommen und durch Rinderfarmen ersetzt und die Armee ist eine immerwährende Bedrohung. Aber sie kämpfen noch immer um ihre politischen Rechte und in den letzten Jahren haben die Führer der Maya langsam erkannt, dass der einzig mögliche Weg zu ihrer Rettung die Vereinigung der verschiedenen Maya-Gruppen in Mesoamerika ist. Trotz ihrer sprachlichen Unterschiede ist die Zusammenarbeit der einzige Weg, ihre Kultur, Tradition und Geschichte zu bewahren. Aber in den letzten Jahrzehnten hat sich eine weitere Veränderung vollzogen. Mit zusätzlicher Aufmerksamkeit der Wissenschaft und der Medien ist ihre Zivilisation der Welt besser bekannt geworden. Mit ihrer interessanten Kultur, den atemberaubenden Überresten und der bunten Natur darum herum sind die Maya interessant für den Tourismus geworden. Immer mehr Besucher kommen aufgrund der Vergangenheit der Maya in ihre Gemeinden. Das ist ein zweischneidiges Schwert. Einerseits würde es kein Land mehr wagen, Gräueltaten wie zuvor zu begehen, sowohl wegen eines negativen Bildes in den Medien als auch wegen der ökonomischen Bedeutung für den Tourismus. Natürlich sind Einkünfte aus dem Tourismus auch für die Maya von Vorteil, die jetzt mehr Geld verdienen können und weniger abhängig von der Landwirtschaft sind. Auch ist es jetzt viel schwerer, ihre Kultur zu zerstören, da sie erkennbarer und populär geworden ist.

*Eine Maya-Frau stellt Souvenirs her.*
*Quelle: https://commons.wikimedia.org*

Aber genau hier schlägt das Pendel zurück auf die Maya. Die meisten Touristen besuchen die Maya mit bestimmten Erwartungen, was sie sehen wollen und werden. Und in diesen Erwartungen spielen viele falsche Vorstellungen und Halbwahrheiten mit, denen einige Maya zu schnell nachgeben. Sie wollen ihre Kunden nicht verlieren, die das dringend benötigte Einkommen mitbringen. Unter diesem Druck retten und verändern Touristen die Maya-Kultur in einem Atemzug. Dabei degradiert der Tourismus die reiche Kultur und die Traditionen zu etwas Trivialem. Ihre Handwerksarbeiten und Kunst werden zu einer Kleinigkeit degradiert, die man auf dem Flohmarkt als Erinnerung an die Reise mitbringt. Für die Touristen steht leider keine tiefere Bedeutung dahinter. Gegenwärtig gibt es für die meisten Maya leider keine Alternative. Und sowohl die politische Situation als auch der Tourismus geben keine Antwort auf die eigentliche Frage nach der Zukunft der Maya. Unter der Oberfläche schlummert eine große Gefahr, aber es gibt keinen Zweifel, dass sie überleben werden. Wie so oft in der Vergangenheit, werden sie sich anpassen und

Hindernisse bei dem Versuch, ihre Traditionen und ihre Zivilisation aufrechtzuerhalten, aus dem Weg räumen.

# Schlussbemerkung

Wir hoffen, dass Sie durch diesen Führer ein grundlegendes Verständnis gewonnen, wer die Maya waren, wer sie heute noch sind und was ihre Kultur und Zivilisation ausmacht. Sie sehen jetzt, wie komplex und kompliziert ihre Geschichte mit all ihren politischen Kämpfen, Allianzen und Kriegen zwischen ihren alten Staaten und entwickelten Gesellschaften war. Und Sie haben erfahren, welch bedeutende Rolle sie für Mesoamerika gespielt haben, indem sie es durch den Handel verbunden und Ideen, Kultur und Mythologie mit anderen Zivilisationen geteilt haben. Wichtiger noch, es sollte klargeworden sein, dass die Maya keine rückständigen Wilden waren, bevor die Europäer kamen und ihnen zeigten, was wahre Zivilisation bedeutete. Sie schufen atemberaubende Kunst, großartige architektonische Wunder, vergleichbar mit den Wundern der antiken Welt und beobachteten die Sterne und die Planeten mit unglaublicher Genauigkeit. Und auch wenn ihre Sicht auf die Welt sich sehr von unserer unterschied, war sie nicht weniger ausgearbeitet und durchdacht. Ihre Religion war trotz der kontroversen Opferzeremonien ein kompliziertes System von Glaubensvorstellungen, Mythen, moralischen Richtlinien und Ritualen. Daher sollte sie in keiner Weise für primitiv oder weniger wert als jede andere alte Religion gehalten werden. Die Betrachtung des täglichen Lebens der Maya sollte uns das Verständnis näherbringen, dass auch sie ein Leben voller Hoffnungen, Ängste, Sorgen und Feierlichkeiten erlebten. So wirken sie weniger als Relikte der Vergangenheit, sondern mehr als Menschen, die noch existieren.

Schließlich sollte dieser Führer gezeigt haben, warum die Maya-Zivilisation wie eine Reihe anderer alter Zivilisationen gleichermaßen respektiert und gepriesen werden sollte. Gleichzeitig sind die Maya eine Mahnung, da sie im Gegensatz zu vielen anderen bedeutenden Zivilisationen der Vergangenheit, niemals verschwunden sind. Sie existieren nicht nur, sondern versuchen, ihr Erbe und ihre Traditionen zu bewahren und kämpfen ums Überleben. Dieser Umstand sollte eine ständige Mahnung sein, dass Geschichte nicht etwas ist, was sich vor langer Zeit in einem fernen Land ereignet hat, sondern etwas, das noch gegenwärtig ist und in der heutigen Welt Nachhall findet. Die Geschichte des Kampfes der Maya in jüngster Vergangenheit soll auch als Inspiration verstanden werden, dass es Hoffnung gibt, egal wie düster die Dinge auch aussehen mögen, so lange es Menschen gibt, die bereit sind zu kämpfen. Deswegen sollte unser Respekt gegenüber der Maya-Zivilisation auch den Menschen gelten, die sie heute am Leben erhalten, den Maya unserer Zeit. Das zu verstehen soll am Ende zeigen, warum es für das Weltkulturerbe wichtig ist, dass die Geschichte der Maya nicht vergessen wird und warum sie auch für spätere Generationen bewahrt werden sollte.

Natürlich ist das eine Aufgabe, die weit darüber hinausgeht, was ein einzelnes Buch leisten kann. So soll dieser hoffentlich informative, interessante und unterhaltsame Führer letztlich nur als eine Einführung in die vergangene und heutige Welt der Maya dienen. Er legt eine solide Basis, auf der weiteres Wissen aufbauen kann. Und hoffentlich wird er einen Funken des Interesses, des Erstaunens und der Faszination an der Maya-Zivilisation entzünden, denn es gibt noch so viel darüber zu berichten. Durch eben diesen Funken, den Hunger nach weiterem Wissen und tieferem Verständnis der Maya dient dieses Buch einem höheren Zweck. Dadurch leisten wir unseren eigenen Beitrag, egal wie klein er auch sein mag, zum Erhalt der wunderschönen, faszinierenden und einzigartigen Zivilisation der Maya.

Schauen Sie sich ein weiteres Buch aus der Reihe Captivating History an.

# Bibliografie

Adams Richard E. W. und MacLeod Murdo J., *The Cambridge history of the native peoples of the Americas Volume II: Mesoamerica, part 1*, Cambridge, Cambridge University Press, 2008.

Adams Richard E. W. und MacLeod Murdo J., *The Cambridge history of the native peoples of the Americas Volume II: Mesoamerica, part 2*, Cambridge, Cambridge University Press, 2008.

Ardren Traci, *Ancient Maya women*, Lanham, Rowman & Littlefield Publishers, Inc., 2002.

Carmack R.M., Gasco J. und Gossen G.H., *The Legacy of Mesoamerica: History and Culture of a Native American Civilization*, New York, Routledge, 2007.

Coe Michael D., *Breaking the Maya code*, London, Thames and Hudson, 2012.

Coe Michael D. und Houston Stephen, *The Maya: 9ᵗʰ edition*, London, Thames and Hudson, 2015.

Foias Antonia E., *Ancient Maya Political Dynamics*, Tampa, University Press of Florida, 2013.

Foster Lynn V., *Handbook to life in the Ancient Maya world*, New York, Facts On File, Inc., 2002.

George Charles und Linda, *Maya civilization*, Farmington Hills, Lucent Books, 2010.

Goetz Delia, *Popol Vuh: The sacred book of Ancient Quiche Maya*, Norman, University of Oklahoma Press, 1950.

Hassig Ross, *War and Society in Ancient Mesoamerica*, Berkley, University of California Press, 1992.

Koontz R., Reese-Taylor K. und Headrick A., *Landscape and power in ancient Mesoamerica*, Boulder, Westview Press, 2001.

Kurnick Sarah und Baron Joanne, *Political strategies in pre-Columbian Mesoamerica*, Boulder, University Press of Colorado, 2016.

Lohse Jon C. und Valdez Jr. Fred, *Ancient Maya commoners*, Austin, University of Texas Press, 2004.

Mazariegos Oswaldo C., *Art and Myth of the Ancient Maya*, London, Yale University Press, 2017.

McKillop Heather I., *The ancient Maya: new perspectives*, Santa Barbara, ABC-CLIO, Inc., 2004.

Sharer Robert J., *Daily life in Maya civilization*, London, Greenwood Press, 2009.

Thompson John S.E., *Maya history and religion*, Norman, University of Oklahoma Press, 1990.

Werness-Rude Maline D. und Spencer Kaylee R., *Maya imagery, architecture, and activity: space and spatial analysis in art history*, Albuquerque, University of New Mexico Press, 2015.

Milton Keynes UK
Ingram Content Group UK Ltd.
UKHW031303230924
1801UKWH00004B/5